Collection

Dans la collection
Mon BIG
Le monde totalement à l'envers de
Fanny
Les secrets sucrés de Lolly
#1
Pop
Lolita
Star
Ma nouvelle amie
#1
Marilou Addison
Lolita
Star
Un anniversaire absolument pas ordinaire
Le monde totalement à l'envers de
Fanny
Les secrets sucrés de Lolly
#2
Pop
Ninja Kid
#1
Les aventuriers des jeux
Vidéo
#1
Mimi Moustache
Zozos
Les Zozos du sport

Un anniversaire absolument pas ordinaire

Marilou Addison

Catalogage avant publication de Bibliothèque et Archives nationales du Québec et Bibliothèque et Archives Canada

Addison, Marilou, 1979-
Lolita Star, ma nouvelle amie. 2

(Mon BIG à moi)
Pour enfants de 8 ans et plus.

ISBN 978-2-924146-55-2

I. Petit, Richard, 1958- . II. Titre.
III. Collection : Mon BIG à moi.

PS8551.D336L642 2016 jC843'.6 C2016-940468-4
PS9551.D336L642 2016

Écrit par Marilou Addison
Illustré par Richard Petit

Dépôt légal : Bibliothèque et Archives nationales du Québec, 2e trimestre 2016

ISBN 978-2-924146-55-2 (vol. 2)

Imprimé au Canada

Gouvernement du Québec – Programme de crédit d'impôt pour l'édition de livres – Gestion SODEC
Andara éditeur remercie la SODEC pour l'aide accordée à son programme éditorial.

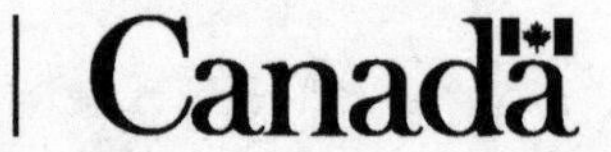

info@andara.ca
www.andara.ca

chapitre 9

Visite guidée à l'usine de trous de beignes

Pour l'occasion, Rosalie porte la plus belle robe qu'elle possède. En fait, le choix de celle-ci n'a pas été bien difficile, puisqu'elle n'en possède qu'une… Trop petite pour elle, d'ailleurs, car elle l'a depuis au moins quatre ans. En plus, elle est rose, avec de petits oursons bleus. Rosalie a l'air d'une gamine de cinq ans, ce qui ne fait pas du tout son bonheur !

Si au moins son amie Lolita Star avait pu l'accompagner. Et lui prêter une robe, par la même occasion… Mais la jeune vedette a dû faire une escale rapide à Hollywood

pour accorder une entrevue au célèbre animateur Joe Micro. Elle a tout de même promis à Rosalie d'être de retour à la fin de la journée et de l'appeler aussitôt.

Pour le moment, Rosalie Sans-le-sou doit assister à la sortie scolaire annuelle à l'usine de trous de beignes où travaillait auparavant son père. Elle l'a déjà visitée des centaines de fois et rien ne l'impressionne plus dans la façon de préparer des trous... de beignes ou d'autres choses !

Elle suit donc son groupe, le regard morne, quand elle sent une vibration en provenance de son sac à dos... C'est son cellulaire ! Enfin... celui que Lolita lui a si gentiment offert.

Ça doit d'ailleurs être elle qui l'appelle !

Alors,
cette visite,
c'est bien ?

Bof… Des trous de beignes, j'en ai déjà vu des tonnes, tu sais.

Moi, je te trouve chanceuse. Les trous, c'est ce que je préfère, quand je mange des beignets. Pas trop gras, pas trop sucré, juste parfait !

MIAAAAAM !

Hum… et j'imagine que ta cuisinière en prépare avec des ingrédients bizarres, comme d'habitude !

Jamais de la vie ! Ce sont des beignets tout ce qu'il y a de plus ordinaires. Aux anchois, au foie gras et au gorgonzola. La routine, quoi…

Rosalie ne peut s'empêcher de faire la grimace, en s'imaginant goûter aux recettes immangeables de Bernadette, la cuisinière de Lolita. Mais son cellulaire vibre à nouveau. Pour ne pas se faire prendre à texter durant la visite guidée, elle décide d'aller se cacher derrière la première porte close qu'elle croise. Il y fait très noir, mais la jeune fille peut ainsi avoir la paix pour lire le message de son amie.

Bref, je voulais te dire que je suis presque arrivée chez moi !

Et quel moyen de transport tu as pris, cette fois ? Un avion, un jet privé, un bateau, un…

Pas du tout ! Je suis en voiture. Une voiture tout à fait normale ! Enfin presque…

Qu'est-ce que tu veux dire par « presque » ?

Ben… Ça faisait vraiment longtemps que je voulais monter dans un véhicule de ce genre. Je n'ai fait que saisir l'occasion quand mon producteur me l'a proposée. Tu vois, je vais avoir à en conduire un dans mon prochain film…

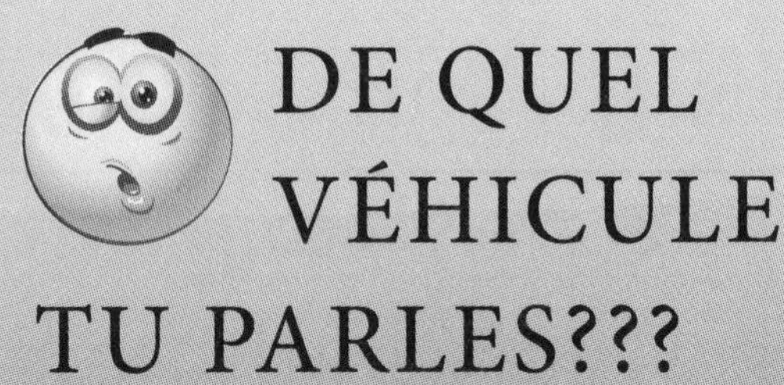

DE QUEL VÉHICULE TU PARLES???

Euh...
d'un tank!

Rosalie sursaute en voyant le *selfie* qui accompagne le dernier texto. En effet, on y voit Lolita bien assise à l'arrière d'un énorme, un gigantesque, un éléphantesque (bref, un vraiment « BIG »)... TANK !!! Et elle sourit à pleines dents !

Impressionnée (et un brin envieuse), Rosalie décide de fermer son cellulaire et d'aller rejoindre le groupe. C'est que cela fait un moment déjà qu'elle s'est enfermée dans ce qui semble être un placard à balais. Elle cherche donc du bout des doigts la porte par où elle s'est faufilée... SANS LA TROUVER !

Avec énervement, elle touche à ce qui se trouve autour d'elle, tend les bras dans le noir et accroche tout ce qui est à sa portée. De drôles de bruits lui

parviennent et de petites étincelles lui font ouvrir grand les yeux. Mais qu'est-ce qu'elle vient de faire ??? Ce n'est qu'à ce moment qu'elle se souvient qu'elle a une montre avec la fonction lampe de poche (cadeau de son amie Lolita, évidemment !).

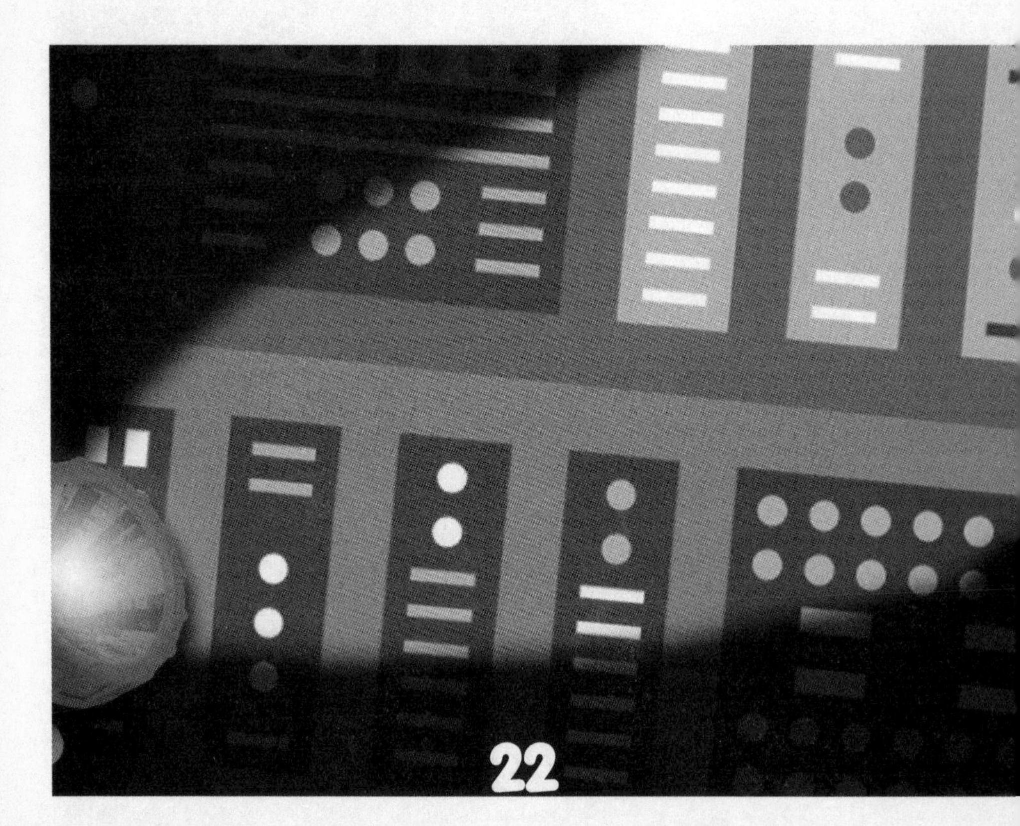

Sans plus attendre, Rosalie lève le bras dans le but d'y voir plus clair. Et ce qu'elle voit lui donne la chair de poule…

Là, devant elle, à moins d'un pied de son joli visage se trouve un tableau électrique… couvert de boutons ! Et elle a

sûrement appuyé sur plusieurs de ceux-ci, car ce ne sont plus seulement des étincelles, désormais, qui lui chatouillent le bout du nez ! NON, c'est plutôt un feu de joie digne des plus grandes fêtes.

— OH LÀ LÀ !!!!!! crie-t-elle, en trouvant enfin la porte pour se sauver de là le plus vite possible !

Dans son dos, ça crépite, ça pétille et ça grésille !!! En tournant le coin, elle rentre de plein fouet dans son guide, venu chercher la retardataire.

— Que faisiez-vous, mademoiselle ? lui demande-t-il, suspicieux. Pourquoi n’avez-vous pas suivi le groupe ?

— C’est que... je... eh bien, pour être tout à fait franche, débute-t-elle, alors qu’un **BANG** interrompt son explication.

En effet… la porte du placard vient de voler en éclats. Le guide réagit aussitôt en lui empoignant le bras, direction la sortie de secours. Au passage, il crie à tous ceux qui peuvent l'entendre :

AU SECOURS !!!
TOUS AUX ABRIS !!!

Les employés de l'usine, le professeur de Rosalie, les élèves de sa classe ET Rosalie se précipitent dehors, tandis que la pétarade continue de résonner entre les murs de l'usine. Haut dans les airs, on peut apercevoir une pluie de trous de beignes !

La ville au grand complet est bientôt ensevelie sous les beignets choco-fraises-citron-alouette ! Les enfants, émerveillés, assistent au spectacle de ces petits gâteaux volant dans le ciel. Certains, chanceux, réussissent même à en attraper quelques-uns au passage… et à les manger tout rond !

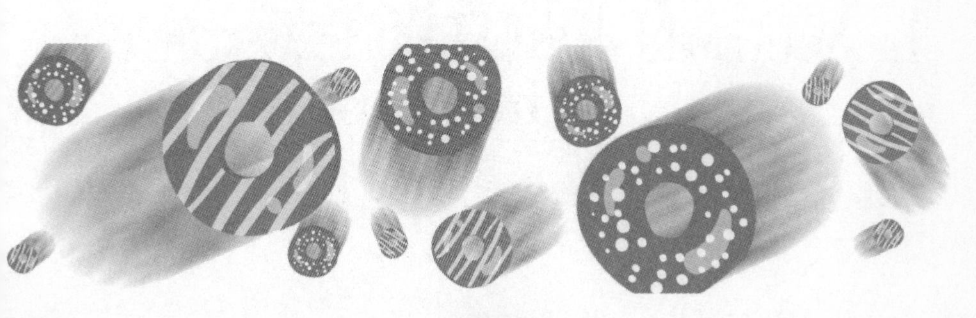

Le cellulaire de Rosalie se remet à vibrer et la jeune fille s'éloigne du groupe pour lire le message qui vient de rentrer.

OMG ! Si tu voyais ça ! Il y a des trucs bizarres qui volent dans le ciel. Je me demande ce que c'est…

Tu viens d'arriver chez toi ?

Non, mais j'y suis presque. Je vois mon manoir de la route.

Ça ne compte pas, on voit ton manoir d'à peu près n'importe où, de la ville. Il est tellement gros !

Tu as raison ! Hi ! Hi ! Hi ! Mais… mais… OH NON !

QUOI ???
Qu'est-ce
qui t'arrive ?

Il y en a un qui vient de tomber sur la vitre du tank ! On zigzague sur la route ! Oh là là, je sens qu'on risque de se retrouver dans le ravin, si on n'essuie pas cette… cette gelée rose ?!?

Rosalie, si je ne survis pas à cela, sache que tu auras été ma meilleure amie de tous les temps !!!

NOOOOOON !!!
Lolita !
Réponds-moi !!!

Mais le téléphone de Rosalie ne vibre plus...

Chapitre 2

Évasion d'un prisonnier, explosion assourdissante et concours de rimes en « in »

Lolita échappe son cellulaire, qui va se glisser sous la banquette arrière. Zut, alors ! songe-t-elle. Elle devra s'en choisir un autre dans sa réserve de téléphones... Cela ne lui fait pas perdre son sang-froid pour autant. Son tank va de droite à gauche, sur la route, tandis qu'un camion blindé roulant en sens inverse tente de l'éviter. Mais le chauffeur de Lolita n'y voit absolument rien et ne se rend pas compte de la situation. Le camion tourne au dernier moment et le tank finit sa course dans

le fossé, tandis que l'autre
véhicule, lui, fait des tonneaux
avant de s'arrêter enfin,
le capot à l'envers, mais tout
au fond du ravin.

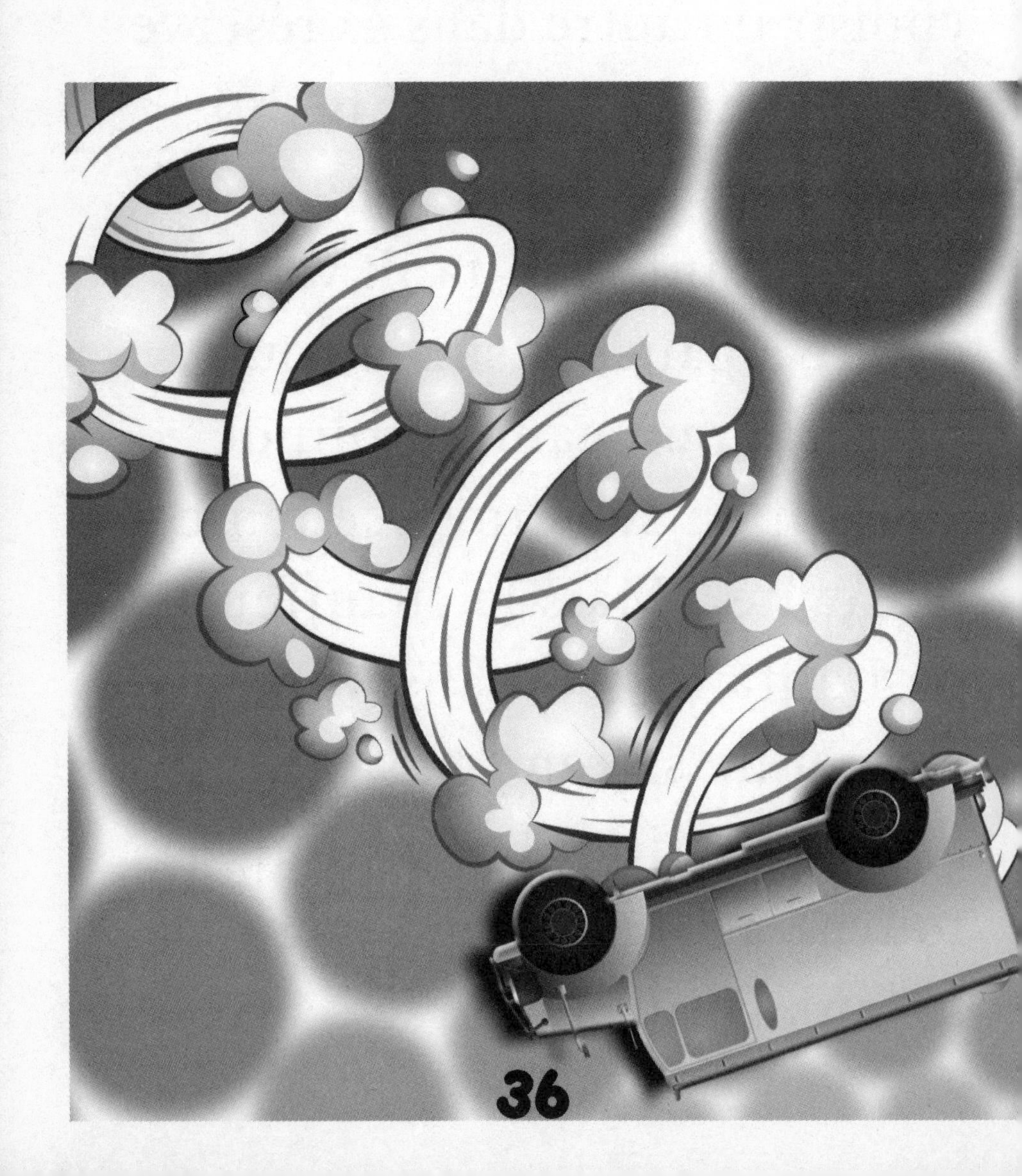

Toujours aussi alerte, Lolita sort du tank pour aller voir ce qui a causé l'accident. Elle se penche et aperçoit quelques beignets de couleur un peu partout autour d'elle.

— Wow! C'est vraiment bizarre... J'ai hâte d'en parler avec Rosalie, murmure-t-elle, en prenant une bouchée dans un trou de beigne aux framboises.

Un immense sourire s'étire sur son visage, alors qu'elle s'exclame :

— Ch’est vraiment bon !

Occupée à se lécher les babines et à goûter à chaque beigne qu’elle ramasse, Lolita n’a aucunement conscience que les portes du camion blindé, tout en bas de la falaise bordant la route, viennent de s’ouvrir… ni qu’un homme s’est lentement glissé à l’extérieur. Un homme portant un habit blanc avec des lignes noires. Et dont les yeux sont masqués.

Pourtant, si elle se penchait sur le bord du ravin, elle reconnaîtrait rapidement le prisonnier, car il s'agit du célèbre cambrioleur Fripon Dupont. Reconnu pour ses vols de banque, de pétanques et de saltimbanques ! Tout un malfaiteur que ce Fripon Dupont !

Mais Lolita termine son dernier beignet et se frotte le ventre. Elle a dû en dévorer au moins une vingtaine et son estomac menace maintenant d'exploser. Puisque son chauffeur est parvenu à faire sortir le tank du fossé, elle se dépêche de réintégrer celui-ci. Sans se rendre compte qu'elle n'est pas la seule à s'y être introduite...

En effet, le brigand a réussi à grimper jusqu'à la route et vient de se cacher dans le coffre arrière. C'est qu'il n'a aucune intention de retourner en prison ! De plus, il y a un formidable magot qui l'attend, s'il réussit à se sauver de là. Alors c'est décidé, Fripon Dupont doit s'éloigner du lieu de l'accident le plus vite possible. Et cet énorme tank va lui servir de moyen de transport ! Ce qu'il ne sait pas, c'est qu'il vient de monter à bord du tank de Lolita Star, l'une des plus grandes vedettes internationales du cinéma ! Tout ce qu'il se dit, c'est qu'il va enfin pouvoir être libre...

— On fait quoi, monsieur Otto, avec tous ces beignets sur la route ? demande tout de même Lolita à son chauffeur.

— J'ai appelé le maire de la ville, répond ce dernier en redémarrant son moteur. Il ne devrait pas tarder à envoyer une équipe de nettoyage. Je ne peux pas croire qu'il laisse ses rues dans un tel état... On n'a plus les maires qu'on avait !

Et le tank repart en direction de chez Lolita, tout en tentant d'éviter les beignets écrasés un peu partout. Quelques minutes plus tard, le véhicule arrive devant un énorme, un gigantesque, un éléphantesque (bref, un vraiment « BIG »)... MANOIR ! Celui de la vedette internationale Lolita Star !

Situé juste à côté de
la minuscule maison
de Rosalie.

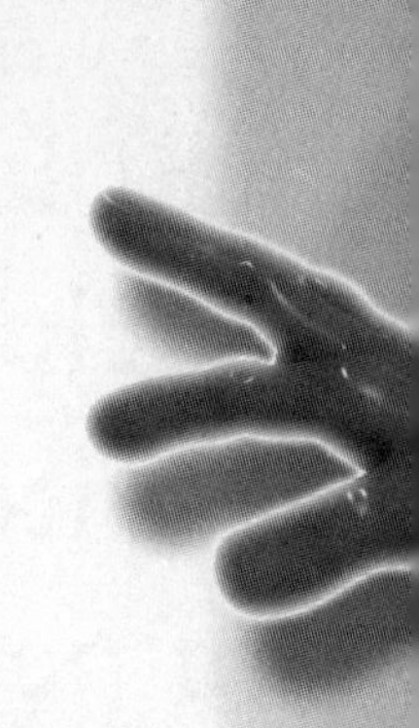

Un homme en sarrau blanc, lunettes de protection, gants de plastique et bottes à embout d'acier se précipite en face du tank en gesticulant. Son visage est taché de suie et son sarrau est troué au niveau du ventre. Alors que la voiture freine de justesse pour ne pas l'écraser, Lolita saute à terre afin de savoir ce que son tout nouvel employé a encore inventé…

Notez ici qu'il s'agit en fait du père de Rosalie, ingénieur de profession (autrefois engagé à l'usine de trous de beignes de la ville), désormais scientifique personnel de Lolita. Car la jeune vedette a décidé qu'elle avait besoin d'un spécialiste des feux d'artifice pour son anniversaire qui doit avoir lieu dans deux jours. Elle a donc demandé au père de Rosalie, sa meilleure amie, de s'en charger et de lui concocter un spectacle du tonnerre !

Ce que monsieur Sans-le-sou a pris trèèèèès au sérieux... Son allure débraillée en est la preuve. Le voilà d'ailleurs qui s'évertue à faire comprendre à la jeune fille ce qui cloche avec ses derniers essais pratiques.

— Mademoiselle Star ! Mademoiselle Star ! Vous êtes enfin revenue !

— Appelez-moi Lolita, monsieur Sans-le-sou. Comme tout le monde…

— Oui, oui, mais je dois vraiment vous montrer ma découverte. Venez avec moi ! lui enjoint-il en la tirant par le bras.

Ils pénètrent dans le manoir, qu'ils traversent de long en large durant de loooongues minutes. Ils tournent à droite, puis à gauche, reviennent sur leurs pas, tournent en rond, avant que Lolita ne finisse par se racler la gorge pour demander :

— Est-ce que… vous ne seriez pas perdu, par hasard ?

— NON ! Enfin… peut-être que… OUI ! Je ne sais jamais comment retrouver mon chemin quand je rentre ici. Je prends normalement ce couloir, je longe ces fenêtres, je monte cet escalier, je prends ce raccourci et… JE FINIS INVARIABLEMENT PAR NE PLUS SAVOIR OÙ JE SUIS !!!

— Ne vous en faites pas, je connais les lieux mieux que le fond de ma poche, s'écrie Lolita, en cachant son sourire pour ne pas vexer le scientifique. J'imagine que nous allons à votre laboratoire ?

Sans attendre la réponse de monsieur Sans-le-sou, Lolita tire son GPS de sa poche arrière et pianote rapidement l'endroit où elle veut aller. Son manoir est si grand que même pour se rendre dans une pièce en particulier, il lui faut

se référer à une carte ou à son GPS. Quelques secondes plus tard, elle file à travers les couloirs, le scientifique la suivant de peine et de misère.

Étant une actrice qui n'a pas peur de faire des cascades en tout genre, Lolita sait courir vite, grimper avec agilité et enjamber des obstacles insurmontables. Ce qui est loin d'être le cas de monsieur Sans-le-sou, qui parvient tout de même à son laboratoire en même temps que la jeune fille, mais complètement essoufflé.

La vue de son atelier le revigore aussitôt et il se dépêche d'aller montrer sa découverte à la vedette.

— Mettez ça, lui indique-t-il d'abord en lui tendant des lunettes protectrices. Et allez vous cacher dans ce coin. Surtout, ne BOUGEZ PLUS !

Puis, il manipule quelques fioles, mélange des mixtures, brasse le contenu de son gros chaudron et ajoute quelques ingrédients. Enfin, sa recette semble prête, car il crie un

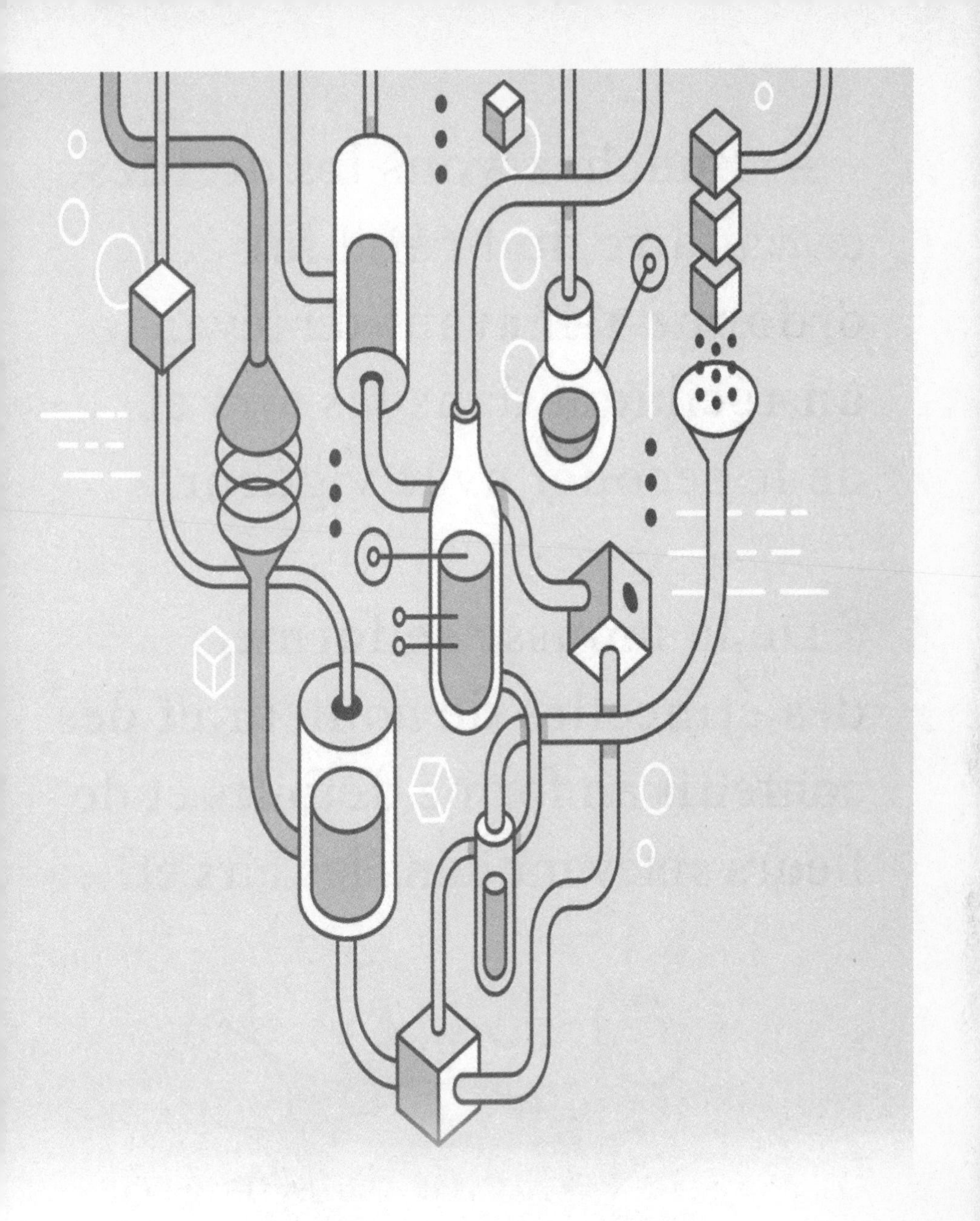

dernier avertissement à Lolita, qui a étiré le cou pour mieux voir ce qu'il fabrique…

— Bouchez-vous les oreilles, ça va faire du bruit ! lui ordonne-t-il avant de lever un récipient dans les airs et de le secouer avec vigueur.

De la mousse se forme, des étincelles de couleur et des confettis en forme d'étoiles et de fleurs s'élèvent dans les airs et…

UNE MONSTRUEUSE EXPLOSION FAIT TREMBLER LES MURS DU LABORATOIRE !!!

Lorsque la fumée se dissipe, Lolita se relève, abasourdie. Devant elle se tient toujours le scientifique, mais ses cheveux sont maintenant complètement relevés et il affiche un air ahuri, lui aussi. Ses lèvres forment des mots, mais la jeune fille n'entend absolument rien.

— QUOI ??? demande-t-elle.

— HEIN ?!? répond monsieur Sans-le-sou.

— DES REINS ? réplique Lolita.

— DU PAIN ?

— UN CHIEN ?

— PAS FAIM ?

— MA MAIN ?

— BON, JE SUIS TANNÉE DE HURLER ET, EN PLUS, JE N'Y COMPRENDS RIEN ! s'énerve Lolita en secouant la tête et en se dirigeant vers la sortie.

— JE N'ENTENDS RIEN, MAIS JE NE SUIS CERTAINEMENT PAS UN DAUPHIN ! ajoute le scientifique.

Bref, aucun des deux ne saisit ce que l'autre est en train de raconter... Sûrement à cause de l'explosion. Pendant que nos deux interlocuteurs terminent de se lancer des mots rimant en « in », un certain prisonnier en profite pour se faufiler dans le manoir. Sans que quiconque s'en rende compte... pour le moment, du moins !

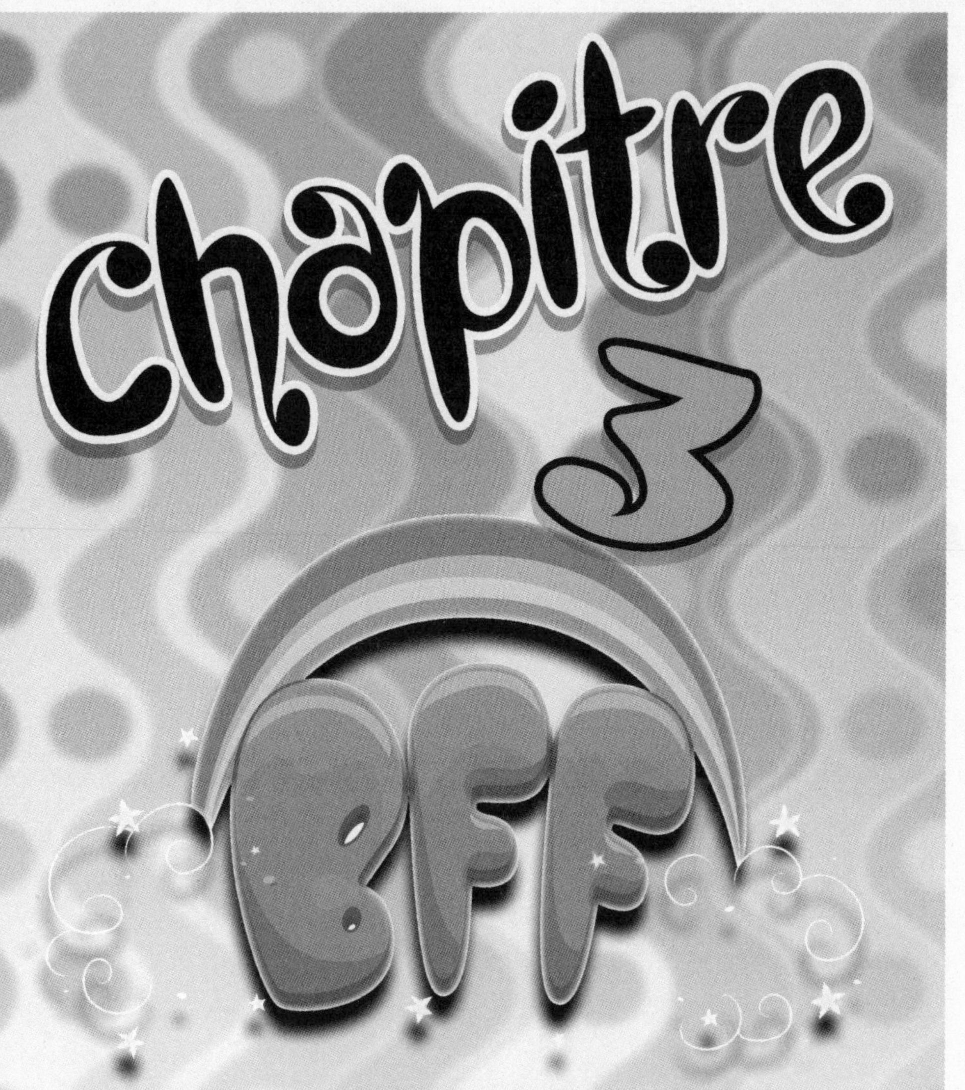

Les retrouvailles des deux meilleures amies du monde !

Rosalie revient lentement chez elle après une journée des plus mouvementées. Elle ne se penche même pas pour ramasser les beignets qui traînent au sol. Conséquence de sa méga giga extra gaffe d'aujourd'hui... Après tout,

si l’usine de trous de beignes
a explosé, c’est bien sa faute !
Si des dizaines d’employés se
retrouvent désormais à la rue,
c’est encore à cause d’elle !!
Et si des familles entières
se verront plongées dans la
pauvreté, elle en est responsable
à 100 % !!!

Bref, même si elle ne l'a pas fait exprès, elle se sent coupable. C'est pourquoi son cerveau fonctionne à toute vitesse, à la recherche d'une solution...

« Engager tous ces gens pour qu'ils lui cuisinent des beignes chaque matin ? » (À ce rythme, elle deviendrait vite obèse !)

« Reconstruire l'usine en vitesse. » (Rosalie ne connaît aucun travailleur de la construction... et ne sont-ils pas en vacances, ceux-là ?)

« Changer d'identité et déménager dans une autre ville pour que personne ne la reconnaisse... » (Sauf qu'elle perdrait sa seule véritable amie : Lolita.)

Ses options sont plutôt limitées... Et malgré la meilleure volonté du monde, elle ne voit pas comment elle pourrait résoudre son problème dans l'immédiat. Heureusement que le lendemain, c'est samedi, et que Rosalie n'a pas d'école. Ça lui permettra de continuer de réfléchir, se dit-elle

en ralentissant le pas. Mais une énorme explosion, tout au bout de la rue, lui fait relever la tête. Surtout que cette dernière semble provenir de...

CHEZ LOLITA !!!

Elle se met donc à courir à toutes jambes.

Par une des cheminées du manoir s'échappent de la mousse rose et des confettis multicolores. Rosalie n'a pas le temps de se demander ce qui se passe là-bas qu'elle aperçoit une jeune fille sauter en parachute d'une des plus hautes fenêtres du manoir.

« C'est sûrement Lolita ! » songe Rosalie, contente de retrouver celle-ci. Les deux filles se rencontrent d'ailleurs au même moment juste devant la porte de l'immense bâtisse. Elles se jettent aussitôt dans les bras l'une de l'autre.

— TE VOILÀ ENFIN ! s'écrie Lolita, folle de joie. COMMENT A ÉTÉ TA JOURNÉE ?

— Euh… pas mal, répond vaguement Rosalie, qui n'a pas trop le goût de discuter de sa gaffe à l'usine de beignes et qui se demande pourquoi Lolita lui crie dans les oreilles.

— PARLE PLUS FORT, J'AI UN PEU PERDU L'OUÏE. Hé, tu as remarqué tous ces beignets dans les rues ? demande-t-elle, en baissant enfin la voix.

— Hum, hum…

— J'aurais tellement aimé t'accompagner aujourd'hui. Ça devait être trippant de savoir comment sont cuisinés ces trous de beignes. Moi, j'ai dû me taper une virée infernale à Hollywood, rencontrer des vedettes toutes plus snobs les unes que les autres et me faire conduire un peu partout dans la ville, les paparazzis à nos trousses. L'enfer, je te dis ! relate Lolita en poussant un long soupir.

— J'imagine, oui, répète Rosalie, sans savoir exactement de quoi parle son amie.

— Mais peu importe ! Ton père vient de me montrer sa nouvelle invention ! Bon, c'est encore au stade expérimental, mais c'est troooop génial !

Rosalie pointe la mousse qui est retombée sur le terrain bordant le manoir, avant de dire :

— Je pense que j'en vois déjà une partie… Est-ce qu'il a terminé de préparer tes feux d'artifice ?

— Pas tout à fait. Il travaille encore là-dessus. Je suis vraiment contente de l'avoir engagé, tu n'as pas idée ! Des ingénieurs comme lui, j'en prendrais par dizaines pour créer de nouvelles technologies à utiliser dans mon manoir !

Une idée germe alors dans la tête de Rosalie, qui ne peut s'empêcher de suggérer :

— Justement, j'en connais quelques-uns qui se cherchent peut-être un emploi...

— Génial ! Tu me les enverras ! Ils pourraient nous être utiles durant ma fête. En attendant, viens-tu manger un morceau à la cuisine ? Bernadette nous a sûrement préparé un petit en-cas.

YARK!

Rosalie se remémore les dernières collations que la cuisinière leur a concoctées et elle hésite. C'est qu'elle n'a jamais été une grande fan de biscottes aux oignons et aux pépites de chocolat, ni de galettes salées-sucrées à la réglisse. Celles-ci étaient vraiment loin d'être un délice...

— Non, ça va, mais si tu as une pomme ou une orange, ce sera parfait pour moi !

— Excellent ! Maintenant, suis-moi, je veux te montrer

mon nouveau moyen de transport, arrivé hier soir, en provenance du Japon ! C'est tout nouveau sur le marché et on peut se déplacer à plus de deux cents kilomètres à l'heure.

Les deux filles se dépêchent de rentrer dans le manoir, mais Lolita s'arrête aussitôt pour montrer de quoi il est question à son amie. Une cage de verre a été installée tout près de la porte d'entrée. Celle-ci est attachée par le haut à un rail, directement au

plafond. En levant les mains, Lolita présente fièrement la machine.

— Voici le tout premier monorail du pays ! Et c'est chez moi qu'il est installé ! Génial, non ?

Puis, elle pousse une des vitres de la cellule et invite Rosalie à y pénétrer. Dès que celle-ci s'exécute, Lolita pèse sur un bouton et la cage de verre se met en mouvement à une vitesse...

INIMAGINABLE !!!

Les deux filles sont projetées contre un des côtés et leur visage est déformé par la puissance du vent qui leur souffle à la figure. Elles n'arrivent même pas à bouger et sont momentanément soudées contre la paroi de verre. Mais l'appareil s'immobilise une fraction de seconde plus tard et elles sont de nouveau éjectées, mais de l'autre côté.

Lolita est la première à se relever. Elle tend la main à son amie et l'aide à se remettre sur pied, en affichant un grand sourire.

— Alors ? C'était cool, hein ? J'adooooore mon nouveau monorail ! Bon, tu viens ? On est arrivées à la cuisine. Oh, tu me prêtes ton cellulaire ? J'ai perdu le mien dans mon tank.

— Bien sûr, acquiesce Rosalie, qui a toujours autant de mal à suivre le fil quand elle est en compagnie de Lolita.

Sans plus attendre, celle-ci pianote sur le téléphone pour faire quelques demandes à sa cuisinière particulière.

Bernadette ! J'ai une faim de loup ! Tu as quelque chose de prêt dans la cuisine ?

Oh, ma belle, contente de te savoir de retour ! Oui, j'arrive dans quelques secondes, je suis au jardin et je vais prendre le monorail. En m'attendant, tu trouveras quelques fruits sur le comptoir.

Des fruits ?
Ce sera parfait
pour Rosalie, ça.
Quels fruits
il y a ?

Des caramboles, des papayes et quelques pitayas, mais si vous vous sentez prêtes à goûter aux nouveaux fruits que notre jardinier Hakim a récemment fait pousser dans sa serre, tu peux fouiller dans le frigo. Hakim a produit des combinaisons et tu trouveras des kiwis-bananes, des oranges-fraises et des bleuets-mangues. Il les a inventés expressément pour ta fête ! Ils ont une forme étrange, mais ils sont délicieux, tu verras !

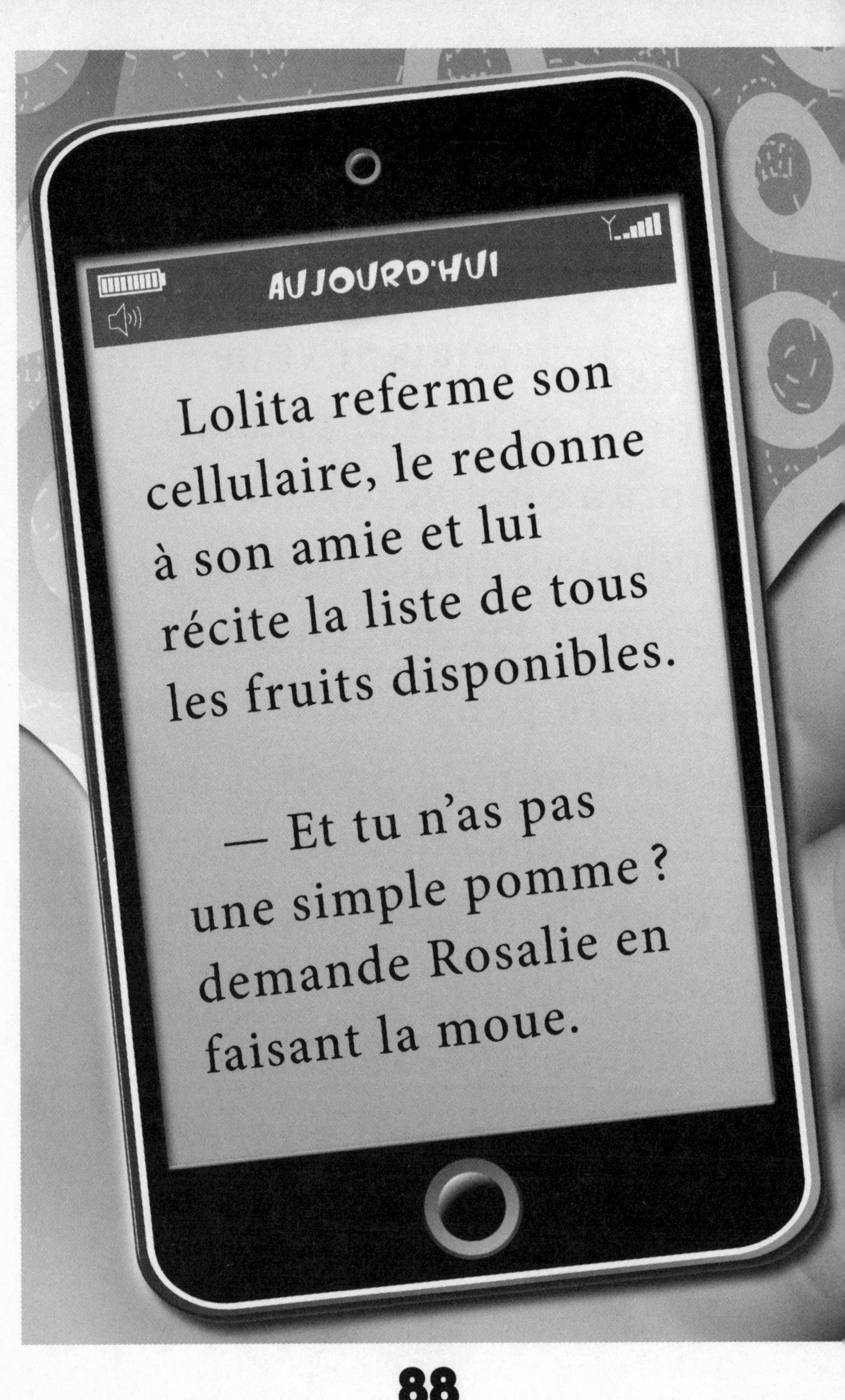

Lolita referme son cellulaire, le redonne à son amie et lui récite la liste de tous les fruits disponibles.

— Et tu n'as pas une simple pomme ? demande Rosalie en faisant la moue.

La jeune vedette hausse les épaules et se dirige vers le réfrigérateur pour en découvrir le contenu. Elle attrape le tiroir de fruits et le dépose ensuite sur la table afin que Rosalie puisse voir les étranges inventions qui s'y trouvent.

Il y a... un kiwi avec une pelure de banane, des oranges complètement rouges et des bleuets avec un immense noyau. Même si ces fruits ne vont absolument pas ensemble, le résultat est plutôt heureux.

C’est donc dans la bonne humeur et le plaisir que les deux jeunes filles se préparent chacune une assiette de fruits exotiques, tout en discutant de l’anniversaire de Lolita qui s’en vient à grands pas…

Une nuit mouvementée dans un manoir aux mille et une cachettes...

Une large main poilue et sale tourne délicatement la poignée de la porte. Celle-ci grince en s'ouvrant et dévoile une pièce sombre, mais non moins intéressante. C'est que Fripon le voleur se trouve face à une salle que même Lolita ne connaît pas. La jeune vedette n'a jamais mis les pieds à cet endroit et ce n'est pas pour rien.

Lorsqu'ils ont fait construire la bâtisse, ses parents ont demandé quelques ajouts. Et parmi ceux-ci, il y a cette fameuse pièce. Cette dernière est utilisée surtout lorsque l'on veut cacher des choses à Lolita. Comme… ses cadeaux de fête ! Ou son incroyable gâteau d'anniversaire !!! Qui est tout simplement époustouflant !

Haut de plusieurs mètres, il a au moins une cinquantaine d'étages ! Chacun de ceux-ci est agrémenté d'un petit manège grandeur nature. Sur le premier, on retrouve des balançoires. Sur le deuxième, une grande roue. Sur le troisième, des autos tamponneuses, et ainsi de suite, jusqu'à cinquante ! Bernadette, la cuisinière, travaille sur sa confection depuis plus d'une semaine ! Et elle n'a pas encore terminé. Mais elle a bon espoir d'y parvenir avant que la fête ne débute, soit dans deux jours…

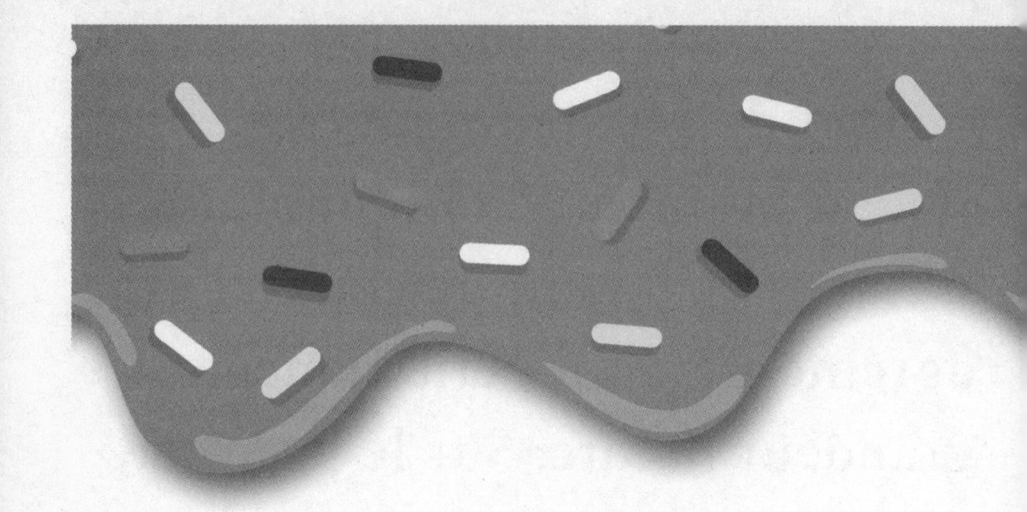

Il lui reste surtout les derniers étages à décorer, ainsi qu'à inscrire en lettrage fluorescent le prénom de la fêtée. Pour se rendre jusqu'en haut, Bernadette a même créé un escalier qui passe par le centre du gâteau.

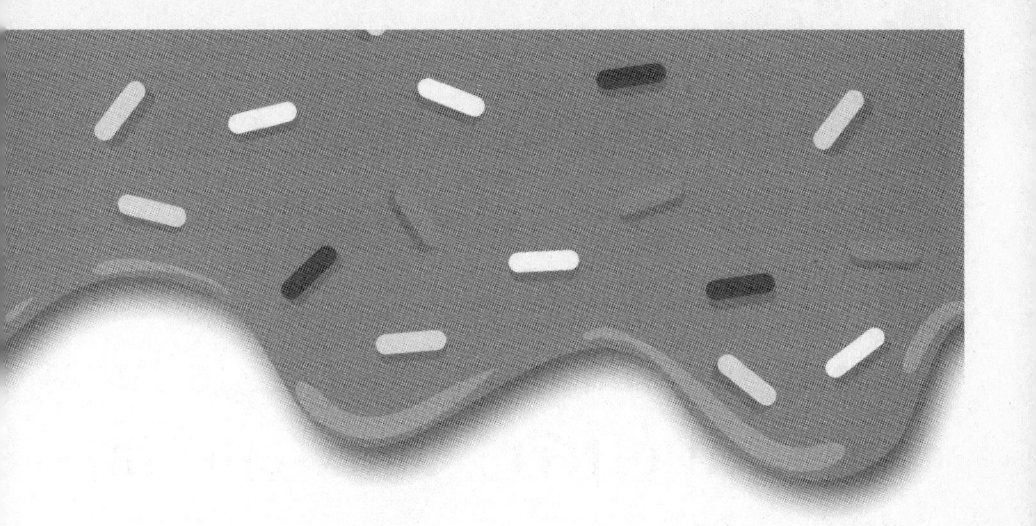

De cette façon, elle ne défait pas les autres étages par mégarde.

Mais revenons à notre Fripon Dupont, qui vient de faire le tour du gâteau, les yeux ronds

et la bouche ouverte. Ce qu'il aurait donné, enfant, pour avoir un gâteau pareil à celui-ci ! Ce ne sont pas ses parents qui le lui auraient offert ! Ceux-ci étant des voleurs eux-mêmes, ils n'ont pas enseigné les bonnes manières à leur fils, mais les meilleurs trucs pour cambrioler la maison des voisins !

Ces trucs lui ont d'ailleurs servi nombre de fois, dans le passé, jusqu'à ce qu'il se fasse prendre la main dans le sac. Il a été trop gourmand et a voulu tout avoir. Ça lui apprendra ! Mais on ne l'y reprendra plus. La prochaine fois, il sera davantage prudent. Pour le moment, Fripon salive. Il n'a qu'une pensée en tête :

goûter à ce délicieux gâteau !

Alors il lève la main et fait glisser son doigt sur le crémage blanc… sur lequel il laisse une large trace. Puis, il porte le doigt à sa bouche. Hum… un délice !!! En plus, il y a un léger soupçon de miel. Et Fripon Dupont, c'est bien connu, adooooore le miel ! Il ne résiste plus et replonge le doigt profondément dans la crème. Finalement, le voilà qui se goinfre à pleines mains, le visage enfoui presque en entier dans le gâteau !

Ce n'est que le craquement qui retentit, dans le couloir non loin de là, qui lui fait lever la tête à la dernière minute. Vite, quelqu'un vient ! Et il doit se cacher, s'il ne veut pas être vu !!!

Il court dans tous les sens, cherche à droite, tourne à gauche et, en état de panique, finit par se coller carrément au gâteau, avant de se recouvrir le corps de crémage. Espérons qu'avec le faible éclairage il passera inaperçu !

La porte grince au même moment et s'ouvre lentement. Une tête pleine de bigoudis passe par l'ouverture et s'assure que les lieux sont vides. Une fois cela fait, une dame âgée se décide enfin à entrer. Sur la pointe des pieds, elle se rend jusqu'au gâteau et marmonne :

— Hum… qu'il a l'air délicieux… Bernadette a encore fait des merveilles. C'est ma Lolita qui va être contente !

Dire que si j'étais restée congelée, j'aurais manqué l'anniversaire de ma petite-fille… C'est toute une chance que sa nouvelle amie m'ait dégelée sans le faire exprès !

Fripon Dupont, le visage toujours coincé contre le gâteau, réussit à tendre l'oreille pour mieux entendre ce que la vieille dame a à dire…

— J’ai bien le goût d’en prendre un petit morceau, moi… Mais j’en ai déjà volé un hier, et un autre avant-hier… La cuisinière va finir par se rendre compte de quelque chose, si je continue ! Ah et puis advienne que pourra, ce gâteau est trop délicieux pour que j’y résiste !

Et la grand-mère de Lolita saute à son tour sur le gâteau, pour en chiper une solide part qu'elle enfourne dans sa bouche. Mais juste avant, elle prend soin de retirer son dentier afin de s'en mettre le plus possible entre les mâchoires !

De nouveau, un craquement se fait entendre dans le couloir. En panique, la vieille dame s'essuie le visage et cherche un endroit où se dissimuler de la vue de l'intrus. Au bout de quelques secondes infructueuses, elle opte pour la même

YARK!

technique que Fripon Dupont, à savoir : se vautrer dans le gâteau et s'enduire de crémage. Cette cachette ayant fait ses preuves, elle devient aussitôt invisible pour l'œil le moindrement distrait...

Et la porte grince une fois de plus. Une tignasse bouclée entre d'un bon pas, sans se soucier de quoi que ce soit. C'est Bernadette, la cuisinière, qui vient travailler encore un peu sur son chef-d'œuvre. Sans remarquer les deux pillards, elle se rend jusqu'à l'escalier central du gâteau et grimpe tout en haut afin de se remettre à la tâche. Sans relâche, elle rajoute du sucre en poudre, lisse celui-ci, rajoute des rosettes, de la couleur, des brillants et tout un tas d'artifices.

Cela lui prend des heures et des heures. Heures pendant lesquelles la grand-mère de Lolita et Fripon Dupont restent tranquilles, emmurés dans leur prison de crémage. Lorsqu'enfin

la cuisinière s'essuie le front et décide de s'arrêter, tous les deux soupirent de soulagement.

Bernadette redescend alors et passe tout près des deux chapardeurs sans les voir. Elle referme la lumière et la porte, avant de disparaître

dans le couloir. La vieille dame est la première à bouger. Elle se décolle du mieux qu'elle le peut du gâteau, se nettoie de la tête aux pieds et finit par s'exclamer :

— En tout cas, c'est la dernière fois que je viens prendre une bouchée du gâteau de fête de Lolita ! La prochaine fois, j'irai manger de la salade de fruits ! C'est bien meilleur pour mon régime… et mes courbatures !

Dès qu'elle sort de la pièce à son tour, Fripon Dupont se déprend de sa situation précaire.

Il était à deux doigts de se trahir et de demander à retourner en prison. On ne l'y reprendra plus à vouloir manger du gâteau !

N’empêche, celui-ci vient de lui donner une fantastique idée de cachette ! Et notre Fripon de voleur se dirige vers

l'escalier central du gâteau, bien résolu à ne pas se faire prendre...

Chapitre 5

Il pleut, il mouille, c'est la fête à la grenouille !

La nuit est trop longue pour Rosalie, qui n'a qu'un seul désir en se levant : aller rejoindre son amie au plus vite afin de continuer à préparer l'anniversaire de celle-ci ! Mais lorsqu'elle regarde à l'extérieur, après avoir tiré les rideaux, son enthousiasme en prend un coup…

Il pleut des cordes ! Et ça ne semble pas près de vouloir arrêter. Sa minuscule cour arrière est remplie d'eau et un bassin de boue et d'eau brune s'y est même formé. Le hic, c'est que Rosalie n'a pas de

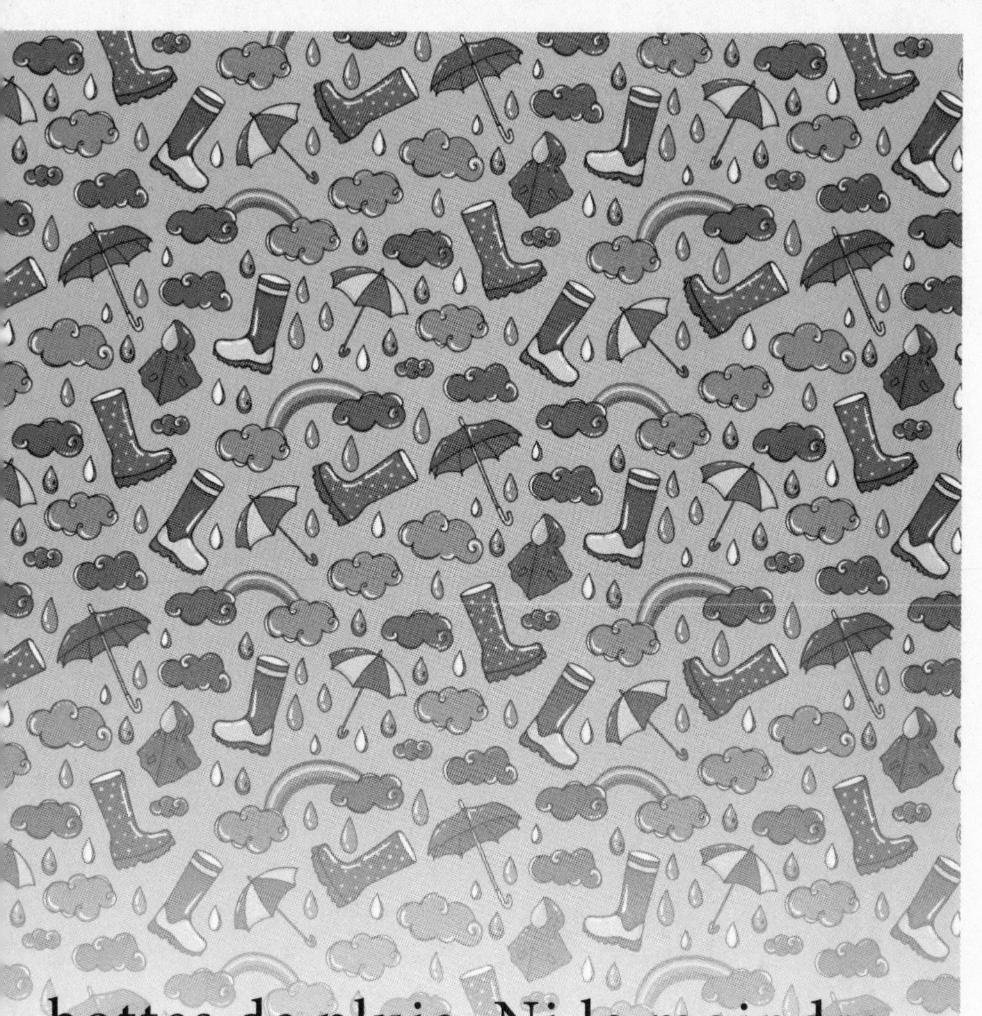

bottes de pluie. Ni le moindre imperméable. Et encore moins de parapluie. Alors, pour se rendre jusque chez Lolita, elle risque de se faire mouiller de la tête aux pieds dans le temps de le dire !

AUJOURD'HUI
Rosalie

Découragée, elle attrape son cellulaire, posé la veille sur sa table de chevet, et écrit un message à son amie.

Lol ! Tu as regardé par une de tes fenêtres ?

La réponse de sa voisine n'est pas longue à venir.

On dirait un ouragan ! Et il pleut tellement que je vois à peine ton manoir, de chez moi !

Peu importe,
on restera à
l'intérieur. De
toute manière,
il y a encore des
tonnes de trucs à
préparer pour ma
fête de demain !!!

C'est que…
je pense que tu ne
comprends pas…

Explique-moi, alors !

Je suis un peu gênée de te le dire, mais… si je sors, je risque d'être complètement trempée.

Tu n'as qu'à prendre un parapluie !

Ben…
je n'en
ai pas.

Mets un
imperméable !

Je n'en ai pas non plus…

Bon, il n'y a pas trente-six solutions. Tu vas devoir enfiler un maillot de bain !

Rosalie hésite, fronce les sourcils, se gratte le menton… Mais oui ! Quelle bonne idée ! Après tout, il fait chaud

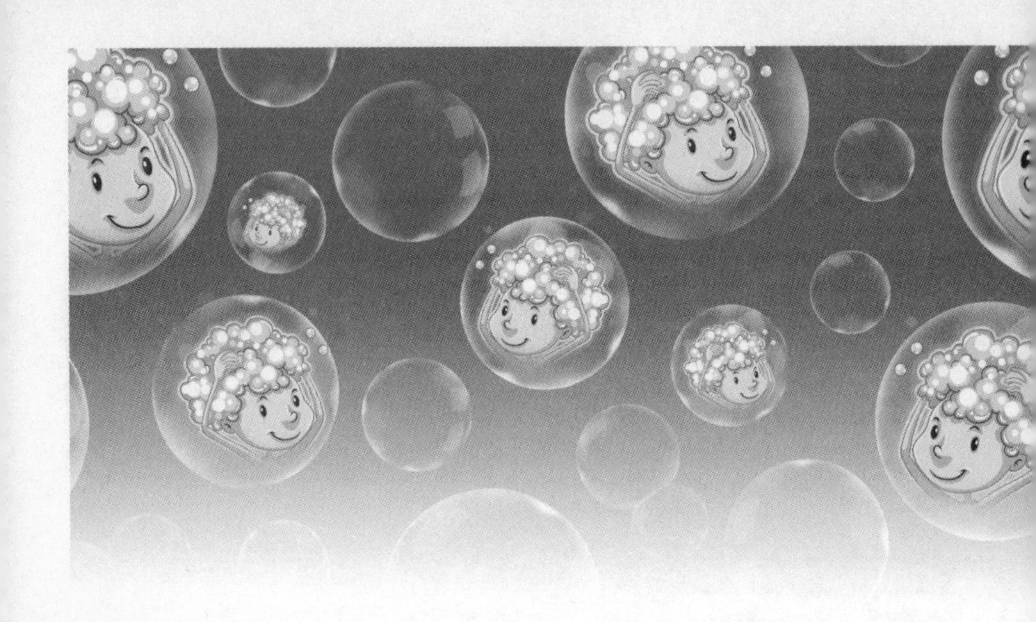

et ce sera comme prendre une bonne douche. En plus, elle a oublié de se laver les cheveux, hier. Alors aussi bien en profiter et apporter son shampooing avec elle. Elle s'apprête à répondre à son amie, mais celle-ci la devance.

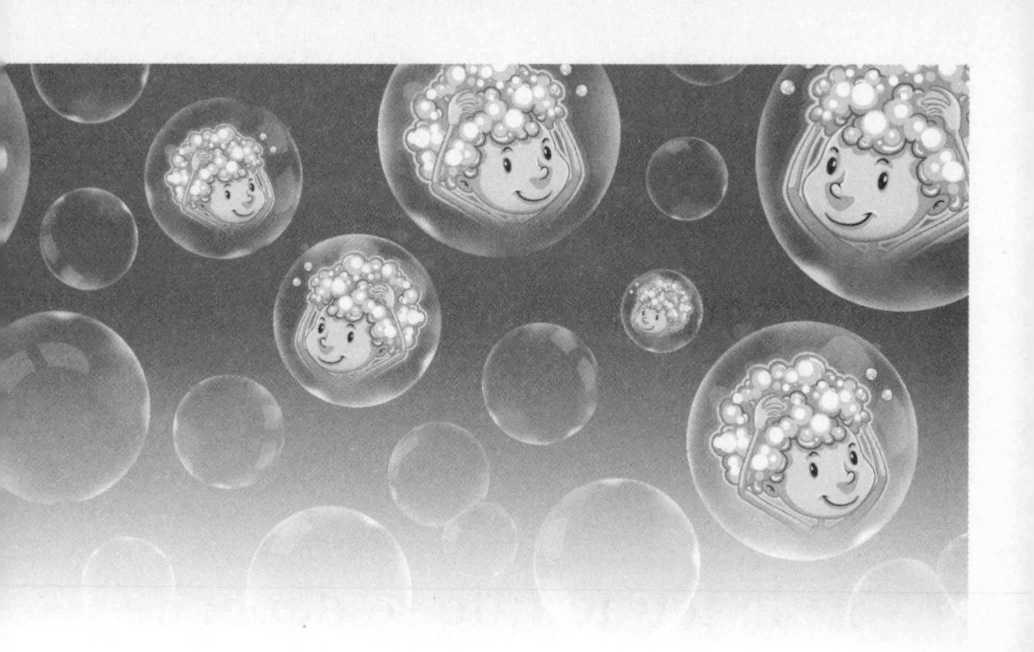

Je vais faire
comme toi !
Ça va être drôle.
On se retrouve en
costume de bain
à mi-chemin ?

C'est bon !
J'arrive !

Et la jeune fille se dépêche de trouver son vieux maillot, de l'enfiler et de sortir de sa chambre ainsi affublée. Ce n'est que lorsqu'elle passe près de son père, toujours assis dans la cuisine, à lire son journal et à boire son café AVANT d'aller chez Lolita à son tour, que celui-ci lève les yeux. Et manque de s'étouffer avec sa gorgée.

Il recrache le tout, toussote, se racle la gorge et s'essuie les yeux, avant de s'exclamer enfin :

— On peut savoir ce que tu fais, habillée de la sorte, Rosalie Sans-le-sou ??? Est-ce qu'une piscine a poussé dans notre cour arrière sans que je sois au courant ? À moins qu'il s'agisse de mademoiselle Star qui s'est encore fait livrer une pataugeoire...

— Mais non, papa, c'est juste que je dois me rendre chez mon amie et qu'il pleut des grenouilles ! Aussi bien mettre un maillot...

— Il pleut des grenouilles ? réplique monsieur Sans-le-sou, un peu perdu.

— C'est une expression, papa ! Bon, je dois y aller ! lance Rosalie en se dirigeant vers la porte.

— ATTENDS ! lui ordonne son père. Je t'accompagne.

Je dois justement parler avec mademoiselle Star. Et tu as bien raison, je vais moi aussi enfiler mon costume de bain. Une minute, je te rejoins.

Avant même qu'elle ait pu lui rétorquer que Lolita déteste se faire appeler ainsi, l'ingénieur est déjà parti chercher son maillot. En un clin d'œil, il revient dans la cuisine vêtu d'un short à fleurs qui tombe en lambeaux. En secouant la tête, Rosalie finit par sortir, suivie de son père.

Dès qu'ils mettent le pied dehors, la pluie s'abat sur leur tête. Elle est si forte qu'en quelques secondes à peine ils sont complètement trempés.

Pour qu'ils ne se perdent pas, Rosalie attrape la main de son père et avance lentement, ses jambes s'enfonçant jusqu'aux genoux dans les flaques d'eau boueuse.

Elle croit entendre un cri au loin. Pour y voir plus clair, elle met la main en visière devant ses yeux. Un mouvement sur sa droite lui fait tourner la tête. La silhouette d'une jeune fille qui fait des saltos arrière se dessine devant eux. Elle s'arrête à leur hauteur, le souffle court.

— Lolita ! C'est toi ?!

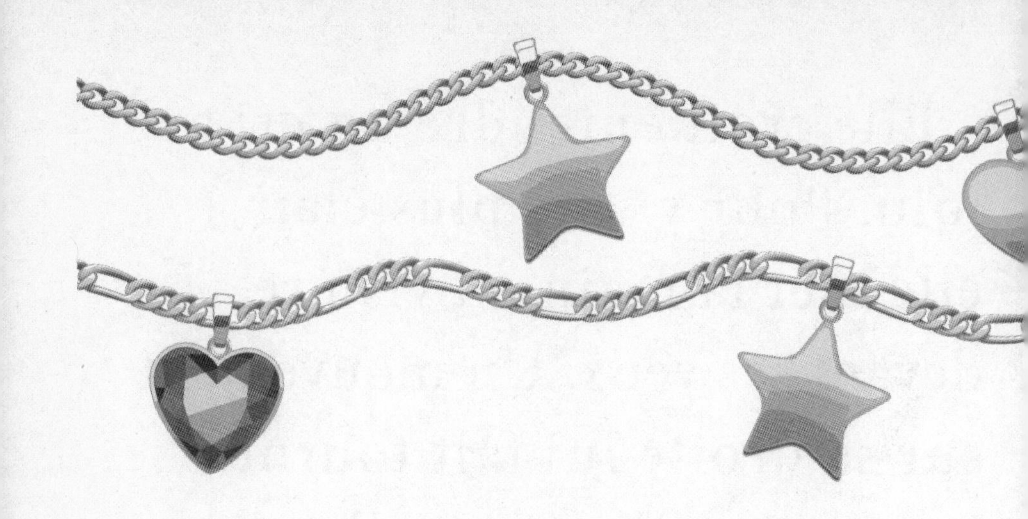

— Oui ! confirme celle-ci. J'adore faire de la gym sous la pluie. C'est un très bon entraînement, tu sais. Je te montrerai des figures, si tu veux.

Rosalie détaille la tenue de son amie, qui porte un superbe ensemble deux-pièces ressemblant davantage à une tenue de gymnaste qu'à un réel maillot de bain.

— Wow... tu es super belle, murmure Rosalie, légèrement envieuse.

— Oh, ça ? Ce n'est qu'un vieil ensemble. Je ne trouvais pas mon nouveau survêtement. Si tu veux, je te le prêterai. Bon, on reste ici pour discuter, ou on se dépêche de rentrer chez moi ?

— Très bonne idée, mademoiselle Star, lance monsieur Sans-le-sou, en s'immisçant dans la conversation.

Ce n'est qu'à ce moment que Lolita remarque la présence du scientifique, en maillot de bain. Surprise, elle ouvre grand les yeux et se retient d'éclater de rire. C'est que le père de son amie a tout de même une petite bedaine qui est loin d'être discrète. Et habillé de la sorte, il est plutôt ridicule, il faut bien le dire !

— Suivez-moi, alors. Mon majordome nous attend près des portes avec un parapluie.

Et la jeune vedette les guide à travers la pluie. En peu de temps ils atteignent le hall d'entrée, où un énorme, un **gigantesque**, un **éléphantesque** (bref, un vraiment « BIG ») parapluie a été installé. Celui-ci est si gros qu'il protège quasiment la moitié du jardin et une partie du toit du manoir. Rosalie ne peut s'empêcher de s'extasier devant ce dernier.

— C'est vraiment un géant parapluie, Lol !

— Pourquoi ça te fait rire, ma fille ? demande monsieur Sans-le-sou.

— Mais, ça ne me fait pas rire, papa.

— Tu as dit Lol. Je sais ce que ça signifie. Je ne suis pas un vieux croûton, tu sauras. Je connais cette abréviation !

— Non, ce n'est pas ce que tu crois ! Je n'arrête pas de

te le répéter, papa ! Lol, c'est pour Lolita ! explique encore une fois Rosalie, en soupirant.

Monsieur Sans-le-sou fronce les sourcils, un peu mêlé, mais il ne réplique rien. À la place, il se dirige à grands pas vers

le manoir, bien décidé à trouver la solution à sa dernière invention. Car le père de Rosalie prépare une surprise à Lolita pour son anniversaire.

Mais il est encore loin du résultat final...

Des charades qui tournent au vinaigre...

Les deux filles, pour leur part, montent dans le monorail et filent à vive allure vers la chambre de Lolita. À peine une seconde et demie plus tard, elles y sont déjà et la jeune vedette fouille dans ses tiroirs à la recherche de vêtements de rechange. Elles ne vont tout de même pas garder leur maillot de bain toute la journée !

— Qu'est-ce que tu veux mettre ? demande Lolita à Rosalie, en jetant un peu n'importe quoi sur le lit. Une robe à paillettes ? Une jupe de cuir ? Des pantalons roses ?

Des mini-shorts jaunes ?
Une salopette en jeans ?
Dis-moi ce que tu préfères !
J'ai sûrement quelque chose ici
qui devrait te plaire !

— Euh, ce vêtement fera l'affaire, affirme Rosalie en empoignant le premier chandail qu'elle voit, ainsi que des leggings noirs.

— OK, moi, je vais mettre une robe, acquiesce joyeusement Lolita.

Une fois habillées, les deux amies s'installent sur le lit pour décider de l'horaire de la journée. Comme la pluie ne semble pas vouloir cesser, elles ne pourront pas préparer le jardin en vue de la fête du lendemain. Puisque Lolita ne doit pas voir ce que Bernadette lui prépare comme gâteau d'anniversaire, les filles ne peuvent pas non plus se rendre à la cuisine. La cuisinière le leur a formellement interdit. Sans compter que le père de Rosalie n'aimerait pas les voir traîner près de son laboratoire. Il a besoin de calme pour se concentrer sur ses expériences.

Bref, les filles risquent de s'ennuyer si elles ne trouvent pas bientôt une activité pour s'occuper. Rosalie est la première à faire une proposition.

— On va regarder un film dans ton cinéma maison ?

— Bof… Des films, j'en vois tous les jours… On pourrait plutôt faire des cascades dans mon gymnase, au sous-sol ?

— Ah non, je suis nulle en gym, refuse net Rosalie. Que dirais-tu de jouer aux charades ?

— C'est quoi, ça, des « chat-raddes » ? Et je n'ai même pas de chat, tu le sais bien. Je suis allergique !

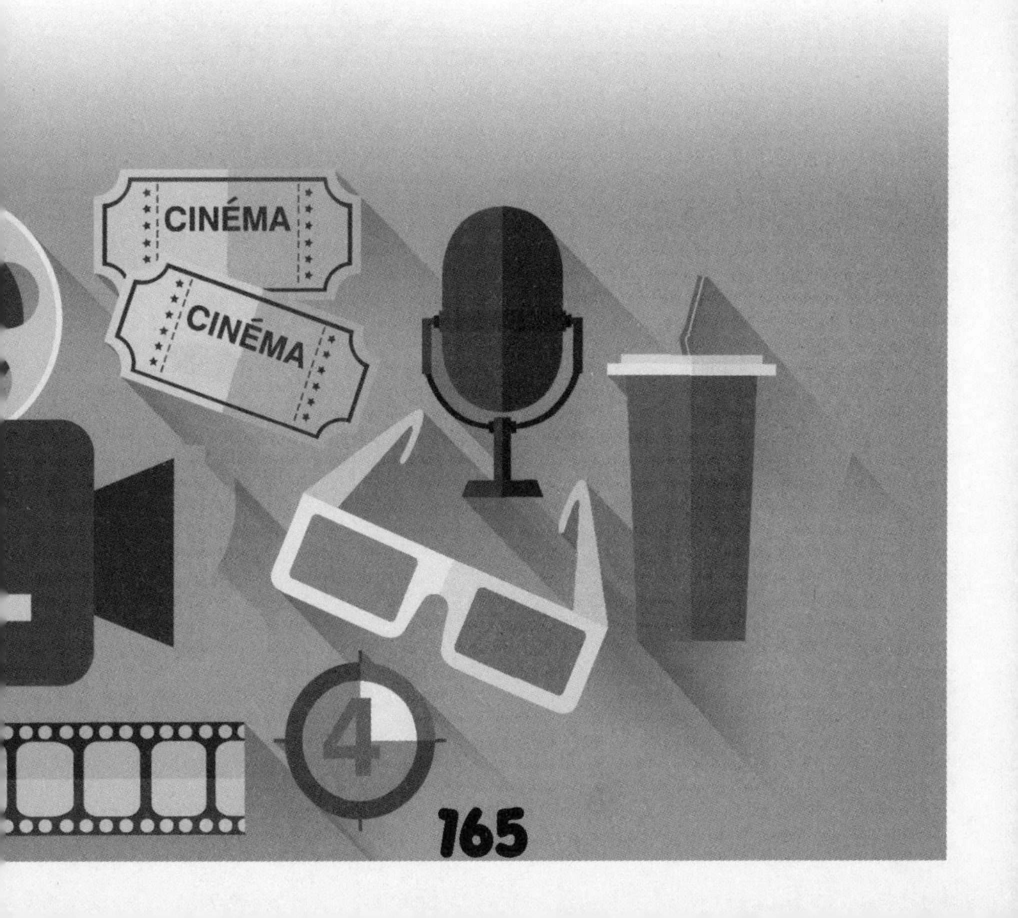

— Hi, hi, hi ! Mais non, des charades ! C-H-A-R-A-D-E-S ! On essaie de découvrir un mot grâce à des indices. Je vais t'en faire deviner un, tu vas comprendre.

— C’est bon, je t’écoute, lance Lolita en se concentrant sur les indices de son amie.

Rosalie réfléchit un moment, avant que son regard ne s’éclaire. Elle sait ce qu’elle va tenter de faire deviner à sa voisine.

— Il y a deux syllabes…

— CHEVAL ! s’écrie aussitôt Lolita, sans attendre le moindre indice.

— Lol ! Tu dois me laisser parler ! Bon, je recommence. Deux syllabes…

— MAISON ! hurle Lolita.

— Mais, Lol ! Tu ne comprends rien à rien ! Je dois donner un premier indice. Cette fois, je suis sérieuse, tu m'écoutes !!!

Lolita fronce les sourcils et croise les bras, détestant se faire prendre en défaut de la sorte. Mais au moins, elle demeure silencieuse.

— Donc… mon premier est la première syllabe du mot Venise.

— Ton premier quoi ? demande Lolita.

— Ben… ma première syllabe !

— Alors pourquoi tu n'as pas dit « ma première », à la place ?

— Euh… je ne sais pas. C'est comme ça qu'on doit dire quand on fait une charade, c'est tout.

— C'est donc bien compliqué, des charades !

— Mais pas du tout ! C'est facile ! La première syllabe de Venise, c'est VE ! s'énerve Rosalie en posant les mains sur ses hanches.

— Pas besoin de te fâcher, c'est beau, j'ai saisi. Donc, c'est quoi ton deuxième indice ?

Rosalie prend une grande inspiration pour se calmer et reprend là où elle était rendue.

— Alors mon deuxième est un montant d'argent que l'on doit remettre à quelqu'un.

— C'est parce que ça ne m'est jamais arrivé... Je ne dois jamais d'argent à personne, riposte Lolita en haussant les épaules.

— Comment ça, tu ne dois jamais d'argent à personne ? Tu n'achètes jamais rien ?

— Bien sûr, sauf que j'ai toujours des sous sur moi. En fait, j'en ai tellement que je ne sais plus quoi en faire ! Ça ne marche pas du tout, ton indice ! s'irrite à son tour Lolita en se levant sur le lit.

Rosalie l'imite et saute sur ses deux pieds elle aussi.

— Bien sûr que ma charade fonctionne ! C'est toi qui ne piges rien à rien !

— Mais non ! VE... et c'est quoi la suite ? Je ne connais pas de mot qui commence par VE !

— On dirait que tu le fais exprès, Lolita Star ! C'est VE-DETTE, mon mot !

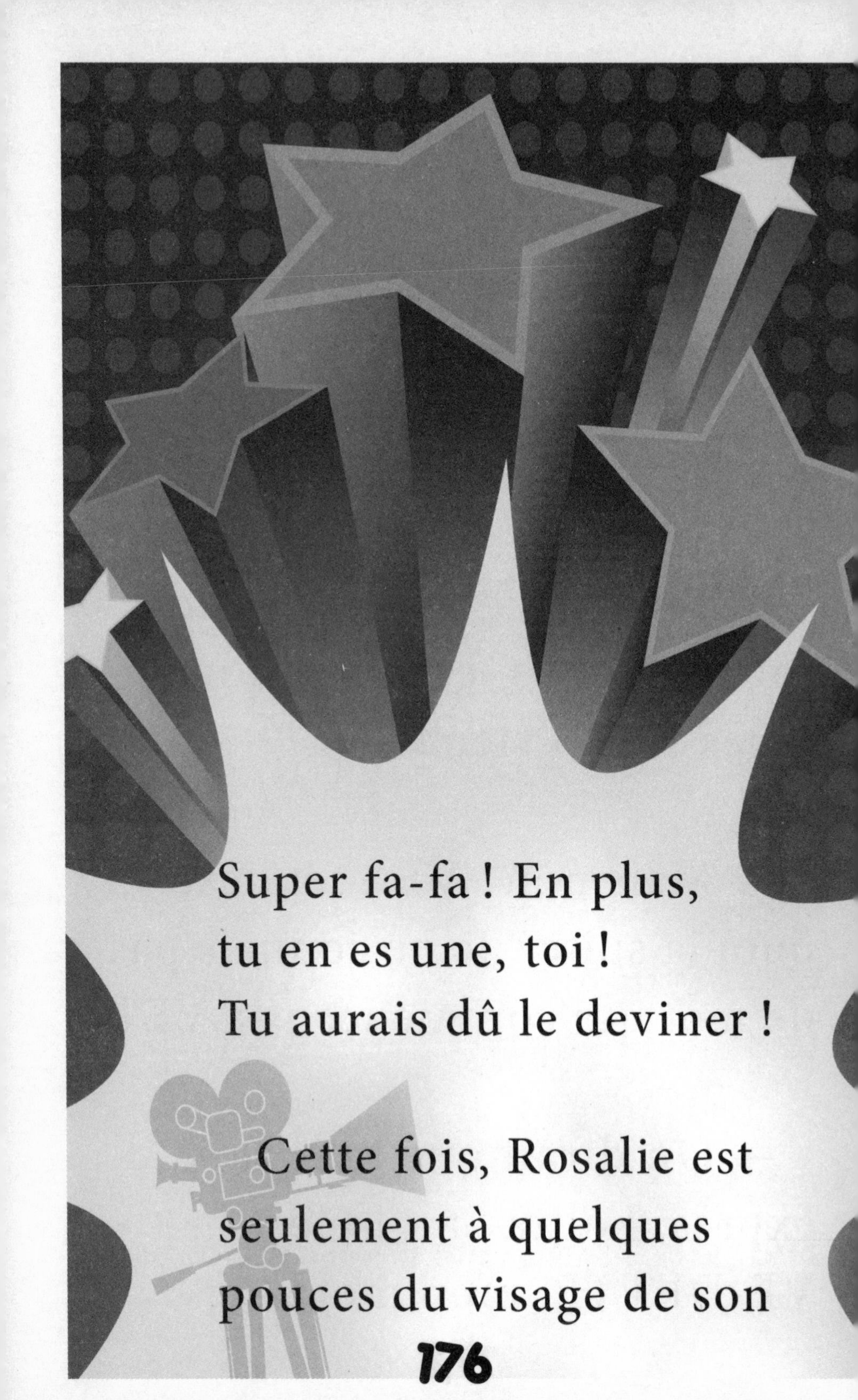

Super fa-fa ! En plus,
tu en es une, toi !
Tu aurais dû le deviner !

Cette fois, Rosalie est seulement à quelques pouces du visage de son amie et les filles crient l'une après l'autre, tellement elles sont en colère. Soudain, le silence envahit la pièce tandis que Rosalie serre les poings et que Lolita pince les lèvres. Elles se fixent sans bouger durant de longues secondes, avant que… LES DEUX ÉCLATENT DE RIRE !

Elles rient si fort qu'elles en tombent à la renverse sur le matelas et se tiennent le ventre à deux mains. Après un long moment, Lolita réussit à souffler et à dire :

— Wow, on est vraiment nulles à ce petit jeu-là ! Pourtant, je suis hyper douée, d'habitude, pour ne pas rire la première !

— Aussi douée que pour faire des charades ? demande Rosalie en se mettant à rire de plus belle.

— D'accord, tu as raison. Je ne comprends rien à ton truc de « chat-radde » ! Mais j'ai d'autres qualités, tu sauras. D'ailleurs, j'ai bien le goût de te montrer de quoi je suis capable…

Déjà, elle descend du lit et saisit un de ses cellulaires, rangés dans un gros panier à côté de sa table de chevet. Sans attendre, elle se met à pianoter sur celui-ci, alors que Rosalie vient la rejoindre pour lire par-dessus son épaule.

Monsieur Leraseur ? Je sais que nous sommes samedi, mais je me demandais si vous pouviez nous donner un cours spécial aujourd'hui ?

Justement, mademoiselle Lolita, vous auriez un peu de rattrapage à faire en français, alors ce serait le moment parfait !

NON ! Je ne parlais pas de ça ! En fait, j'aimerais bien avoir des leçons de chant… Vous croyez que vous pourriez nous en donner ?

C'est que je ne suis pas un expert en la matière... Mais j'ai des relations. Je vous envoie quelqu'un tout de suite. Rendez-vous dans la salle de classe, votre professeur de chant vous y attendra.

Lolita referme son cellulaire d'un coup sec et lève la tête vers Rosalie, qui secoue la sienne à toute vitesse.

— Oh non, alors ! Pas question que je chante ! J'ai la voix

d'une souris qui vient de
respirer de l'hélium, moi !
se plaint-elle.

Mais la jeune vedette ne
l'écoute déjà plus. Elle la tire
plutôt à sa suite hors de la
chambre, se faisant une joie de
la surprise qu'elle lui réserve...

Chanter comme une casserole et danser comme un canard

Puisque le monorail ne se rend pas encore jusqu'à la salle de classe de Lolita, les deux filles doivent faire le trajet à pied. Mais la jeune vedette n'est pas longue à trouver une solution. Elle change de chemin et revient sur ses pas. Rosalie, ne comprenant pas, ne peut s'empêcher de s'exclamer :

— Hé ! Ce n'est pas par là ! Même moi, qui ne connais pas ton manoir de fond en comble, je vois bien qu'on ne prend pas du tout le bon couloir.

— C'est parce que je sais comment économiser notre temps... On va aller dans le garage.

— Et pourquoi le garage ? On sort ? Tu ne voulais pas plutôt aller suivre un cours de chant ? Je ne suis pas contre le fait de laisser tomber la chanson, mais ton prof va nous attendre, non… ?

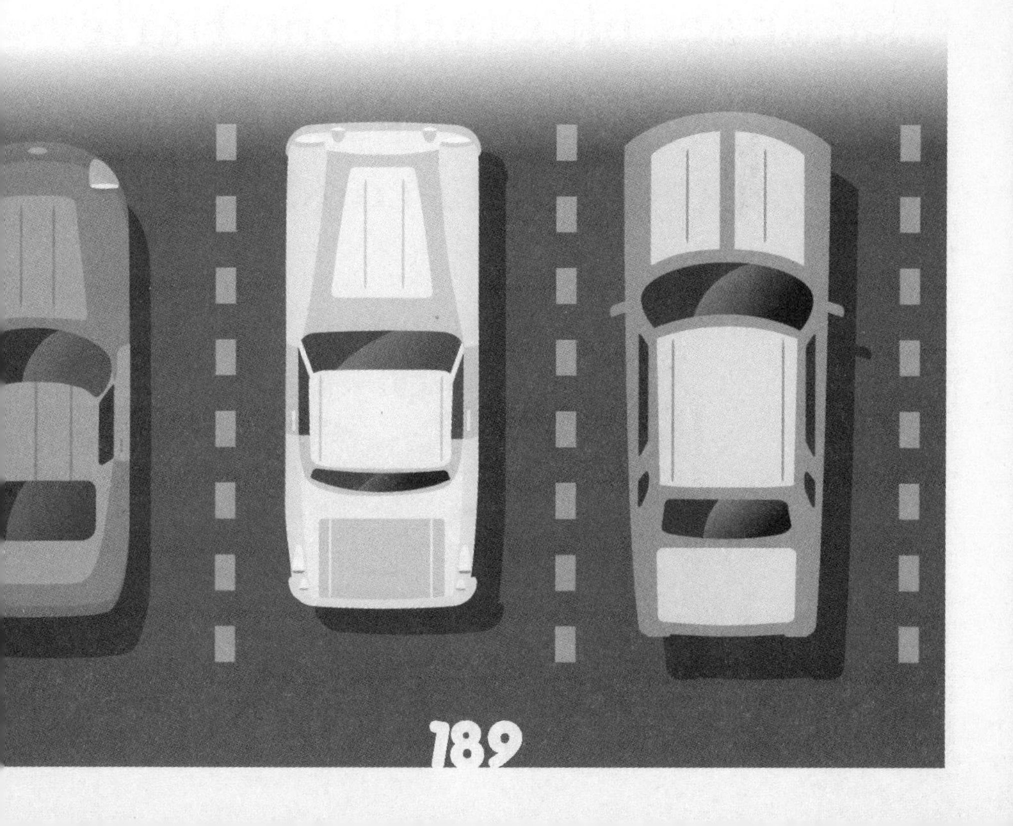

C'est à peine si Lolita lui lance un regard. Elle ouvre plutôt les portes doubles du garage et s'y engouffre. Rosalie, elle, reste là, indécise. Au moment où elle prend la décision de suivre son amie, un bruit de moteur parvient à ses oreilles. Quelques secondes plus tard, une Harley Davidson sort en pétaradant du garage, Lolita conduisant celle-ci.

Rosalie se tasse à toute vitesse, pour éviter l'engin, et tombe à la renverse. La moto vrombit un coup ou deux, avant que la jeune vedette fasse signe à sa voisine de monter derrière elle. Elle doit ensuite hurler pour se faire entendre.

— ON VA Y ARRIVER BEAUCOUP PLUS VITE SI ON SE DÉPLACE AVEC MA **NOUVELLE HARLEY !** ACCROCHE-TOI, C'EST PARTI !!!

Les deux filles filent à vive allure à travers les corridors du manoir. Lolita effectue des virages serrés dans tous les coins, mais réussit par miracle à les amener toutes les deux en un seul morceau jusqu'à la salle de classe. Lorsque Rosalie saute par terre, son cœur bat si vite qu'elle a l'impression qu'il va lui sortir de la poitrine !

Mais elle n'a pas le temps d'y réfléchir plus longtemps, car Lolita vient de laisser échapper un cri de joie. Elle descend à son tour de la moto et s'avance dans la pièce, un large sourire sur le visage.

Devant les filles, juste à côté de monsieur Leraseur, l'enseignant habituel de Lolita, se tient une toute petite dame. Elle a le visage très fripé et porte des vêtements beaucoup trop grands pour elle. En fait, Rosalie irait jusqu'à dire que

cette femme doit être une naine, car elle n'est pas plus haute qu'une enfant...

Lolita semble la connaître, car elle a la bouche grande ouverte et n'arrive pas à prononcer le moindre mot. C'est d'ailleurs une des seules occasions où elle ne sait pas quoi dire ! Intriguée, Rosalie finit par se rapprocher d'elle pour lui chuchoter à l'oreille :

— Qui c'est, cette femme ? Et ferme ta bouche, tu vas avaler des mouches...

Enfin, Lolita avale sa salive et reprend contenance. Puis, elle rétorque :

— TOUT LE MONDE LA CONNAÎT ! C'est madame Manager ! laisse-t-elle tomber, comme si Rosalie allait faire le lien.

Mais cette dernière n'est pas plus éclairée. Elle hausse donc les épaules et lève les mains pour inviter son amie à lui donner plus de détails.

— Voyons ! Je ne peux pas croire que tu ne sais pas de qui je parle ! Madame Manager, la prof de chant de toutes les vedettes de pop, de jazz, de rock et de heavy métal de la planète ! C'est elle qui a enseigné à chanter à Michael Jackson, Elvis Presley, Madonna et tous les autres ! C'est carrément mon idole !!! termine Lolita en joignant les mains l'une contre l'autre.

Monsieur Leraseur prend alors la parole et présente fièrement son invitée.

— Mademoiselle Lolita, je suis très heureux de vous présenter Annette Manager. Une grande amie à moi. Je voulais vous faire la surprise demain, lors de votre anniversaire, mais avec votre demande d'aujourd'hui, il m'a semblé que c'était le bon moment pour vous offrir un cours de chant privé avec cette grande dame de la musique.

Grande dame… c'est vite dit, songe Rosalie, en détaillant la minuscule professeure de chant. Celle-ci s'avance à son tour et vient serrer la main de Lolita. Puis, elle ouvre la bouche et sa voix envahit la salle de cours. Rosalie ne peut s'empêcher de porter les mains à ses oreilles. Lolita, elle, fait la grimace tandis que

monsieur Leraseur se pince les lèvres et plisse les yeux.

Car Annette Managér a beau être une prof de chant de haut niveau, elle n'en a pas moins une voix extrêmement désagréable. Si désagréable, en fait, qu'il est très pénible de l'entendre parler plus longtemps. Et pourtant, elle a une tonne de choses à dire…

— Ma chère enfant, je suis enchantée de faire enfin ta connaissance. J'ai tellement entendu parler de toi ! Sans compter que je t'ai vue dans presque tous tes films. Tu joues si bien. Je me suis toujours demandé si tu étais capable de chanter. Tu as une tonalité très particulière. Ta posture me laisse croire que… bla bla bla et bla bla bla et bla bla bla…

Son monologue est interminable. Pour qu'elle cesse de parler, Lolita lui coupe la parole, espérant ainsi mettre fin à leur supplice.

— Justement, j'aimerais bien vous montrer comment je me débrouille. Êtes-vous prête à m'entendre ?

Annette ferme la bouche, hoche la tête et se met en position d'écoute, alors que Lolita se racle la gorge et commence à chanter a capella. Les yeux de la prof de chant

brillent et elle sourit en l'écoutant, charmée par la jeune vedette. Lorsque celle-ci termine sa chanson, elle l'applaudit à tout rompre et se remet à parler… au grand malheur des deux filles !

— Je suis tout simplement impressionnée par tant de grâce. Vous avez une facilité naturelle à contrôler vos cordes vocales. Vous mériteriez que… et bla bla bla et bla bla bla…

Pour abréger ses commentaires, Lolita coupe Annette de nouveau et pointe son amie.

— Est-ce que ça vous dirait d'écouter Rosalie, cette fois?

Je suis certaine qu'elle chante super bien. Allez, c'est ton tour ! indique-t-elle à la jeune fille, qui fige sur place.

— C'est que… c'est que… je chante très mal, explique Rosalie en secouant la tête.

— Voyons, vous allez justement pouvoir recevoir des conseils de la célèbre madame Annette. Vous devez en profiter ! intervient monsieur Leraseur, au grand dam de la jeune fille.

— Bon… si c'est comme ça… Mais je vous avertis, je chante trèèèès mal ! Et en plus, je ne connais qu'une seule chanson.

Sans plus attendre, Rosalie s'exécute, geste à l'appui :

Lorsqu'elle termine son refrain, madame Manager, monsieur Leraseur et Lolita l'observent sans dire un mot. Ils ont les yeux ronds et semblent mal à l'aise. La jeune vedette est la première à réagir pour chasser le malaise qui s'est installé dans la pièce.

— Euh… ouais, c'était… eh bien, c'est-à-dire que… En fait, je crois qu'on va laisser tomber les cours de chant pour aujourd'hui, si ça ne dérange personne. Mais demain, sans faute, on reprend le tout !

Soulagée, Rosalie se laisse entraîner encore une fois dans le sillage de son amie…

8

Du miel, des abeilles et un prisonnier qui fait bien des dégâts !

La journée est déjà bien entamée et les deux meilleures amies sont épuisées par tout ce qu'elles ont accompli. Décoration de la plupart des salles du manoir (ce qui n'était pas une mince affaire...), préparation des activités qui

auront lieu le lendemain, composition florale pour le jardin extérieur (le tout, sous la pluie battante, eh oui !), élaboration de tout un tas de listes visant à se simplifier la vie. Mais qui, en bout de ligne, leur a pris la moitié de la journée !

Visiblement, les filles ne sont pas habituées à organiser une fête de cette envergure. Lolita, elle, a tendance à demander à son personnel de se charger de tout, tandis que Rosalie, pour sa part, n'a JAMAIS invité qui que ce soit à ses anniversaires !

Lolita étire les bras, bâille à se décrocher la mâchoire, puis marmonne :

— Je suis tellement fatiguée que je donnerais n'importe quoi pour piquer un petit somme. Pas toi ?

— Oui, tu as raison ! J'ai mal aux bras à force de poser des guirlandes et j'ai les pieds en compote d'avoir couru d'un bout à l'autre de ton manoir.

— Tu aurais dû prendre ma Harley, aussi, pour te déplacer.

— Je n'ai pas mon permis, voyons ! Et c'est beaucoup trop lourd à tenir, cette bécane !

— En tout cas, tu ne pourras pas dire que je ne te l'ai pas offert…

Un second bâillement la coupe sur sa lancée et Lolita décide d'aller s'étendre sur le sofa du salon. Rosalie prend place sur la moquette duveteuse à souhait, juste à côté. Les deux filles ont à peine posé la tête sur un coussin que, déjà, elles s'envolent au pays des rêves. Bon, Lolita ne s'envole pas vraiment, car elle rêve qu'elle fait de la moto directement sur les nuages, tandis que Rosalie fait un horrible cauchemar où elle est avalée par des fleurs mangeuses de chair. Ouf, son sommeil est loin d'être de tout repos !

Mais durant cette petite pause bien méritée, un intrus vit une tout autre aventure, à l'autre bout du manoir. Il s'agit bien évidemment de Fripon Dupont, notre voleur notoire ! Pas plus tard que la veille, ce dernier avait décidé de se cacher à l'intérieur même du gâteau d'anniversaire de Lolita Star. Ce qu'il ne savait pas, par contre, c'est qu'il n'y serait pas seul !

En effet, Bernadette, la cuisinière, que l'on connaît pour sa grande créativité en matière de recettes, n'a pas

préparé n'importe quel dessert pour sa chère Lolita. La pâtisserie, haute de cinquante étages, est à base de miel de Marseille, de sucre roux du Pérou et de mélasse de Saint-Boniface. Malgré les apparences, le mélange des trois saveurs est tout à fait délicieux.

Toutefois… Bernadette n'est pas femme à faire les choses à moitié. C'est pourquoi elle est

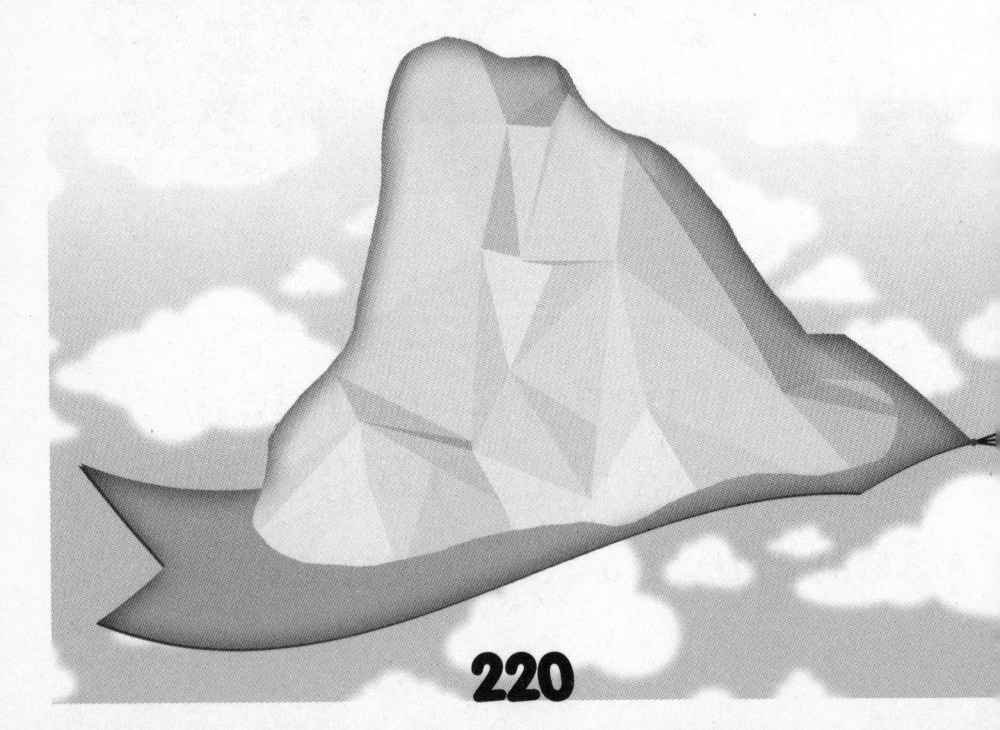

allée chercher elle-même son sucre par avion. Elle a visité une usine de mélasse et en ce qui concerne le miel… elle a carrément ramené une ruche ! Pour la suspendre au centre même du gâteau. Afin d'en extirper le miel au fur et à mesure.

Tout cela, Fripon le voleur l'ignore. Mais il n'est pas près

de l'oublier. Car lorsqu'il se réveille, ce matin-là, et s'étire un brin, il accroche bien involontairement la ruche... qu'il n'avait pas remarquée, la veille, dans le noir.

Un bruit lui parvient alors aux oreilles. Biiiizzzzzzzzzz ! C'est un étrange bourdonnement qui augmente en puissance. Fripon se frotte les oreilles, secoue la tête et saute sur place, mais rien n'y fait. Ce son est de plus en plus fort. Biiizzzzzzzzzzzzzzzzzz !! En fait, plus il y pense, et plus celui-ci

lui rappelle quelque chose. Oui ! Il y est ! Ça ressemble au boucan que font les abeilles ! Comme celles qui l'avaient piqué, quand il était enfant.

Et qu'il était devenu aussi gonflé qu'un ballon !

Sur le nez de Fripon, une abeille vient justement de se poser. Et elle le nargue avec son dard, qu'elle enfonce lentement dans sa chair !

Le voleur se met à sautiller, à se trémousser et à gesticuler en tous sens. Mais rien n'y fait, un nuage d'abeilles

l'encerclent et le piquent sans relâche. Celles-ci ne sont pas prêtes à le laisser partir aussi facilement. C'est qu'il a osé les déranger ! Lui, ce petit homme qui ne sait pas vivre !

Fripon essaie de se déprendre de la mauvaise

posture dans laquelle il se trouve et recule d'un pas, avance de deux, fait trois tours, pour enfin tomber en pleine poire dans le crémage. Et sous lui, le gâteau s'effondre…

Les étages tombent les uns après les autres, dans un amas de crémage de toutes les couleurs. Lorsque la catastrophe se termine enfin, la pièce au complet est couverte de morceaux de gâteau. Fripon réussit tant bien que mal à s'extirper de là et s'essuie le visage. On ne lui voit désormais que les yeux, le reste étant caché par de la crème fouettée, de la confiture, du miel et du crémage. Sans compter que son nez a maintenant la grosseur d'une pastèque, à force d'avoir été piqué et repiqué !

Tout ce tapage n'est pas passé inaperçu. Fripon entend des pas dans le couloir. Il sait que, s'il ne file pas de là, il sera découvert. Il n'a pas le choix et cherche la fenêtre la plus proche. En l'ouvrant, il hésite à peine et sort en se tenant sur le rebord. Puis, il cherche un endroit où il pourra atterrir sans trop se blesser.

Il ne tarde d'ailleurs pas à le trouver…

Derrière lui résonne une voix catastrophée face au

spectacle du gâteau massacré. Mais Fripon l'entend à peine, car il vient de sauter directement sur le parapluie géant ouvert quelques étages plus bas. Il rebondit une, deux, trois, QUATRE fois dessus avant de glisser jusqu'au sol.

Ouf ! Il s'en est sorti sans trop de dommage. Mais pour notre cupide voleur, il est tout à fait hors de question de s'en aller de

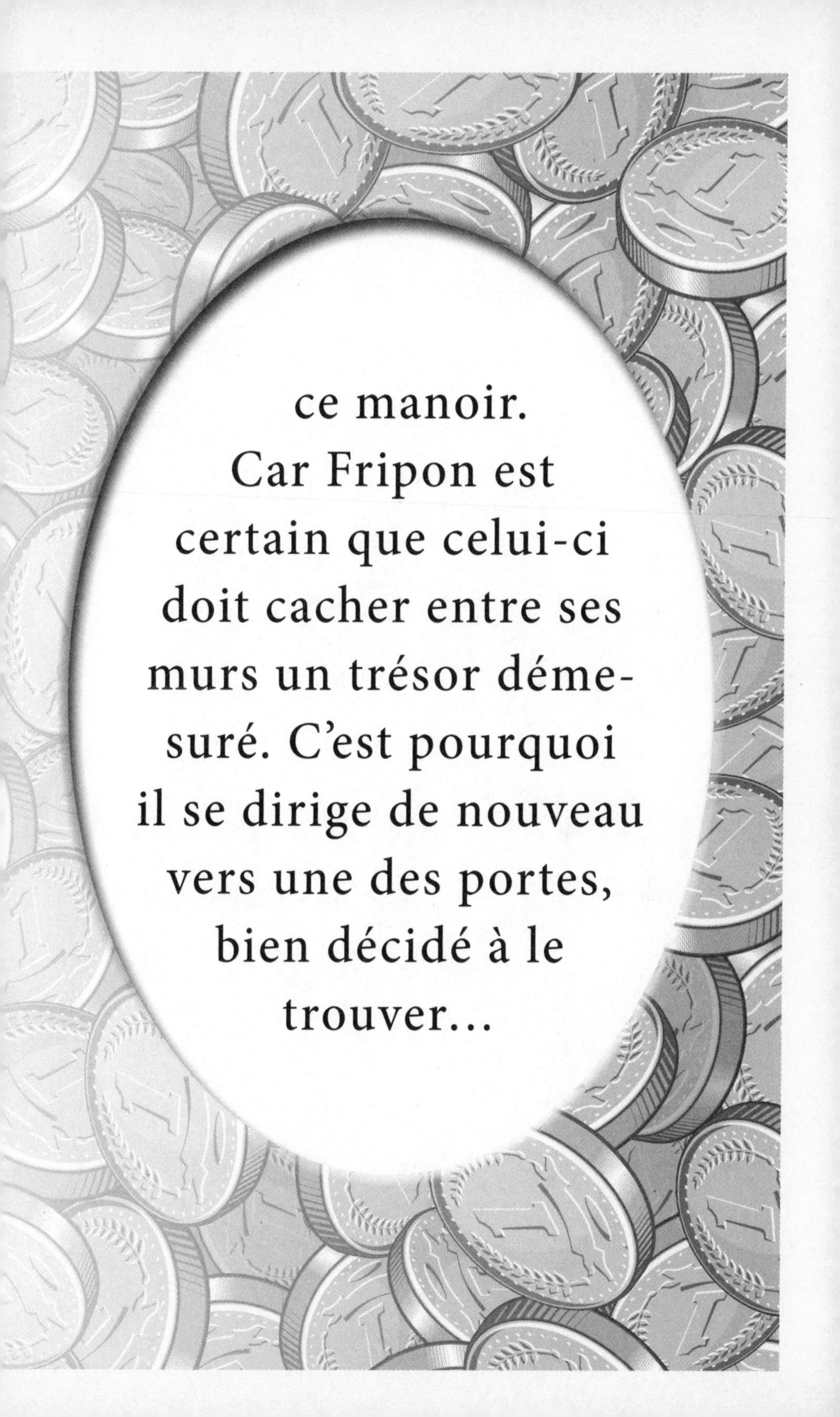

ce manoir.
Car Fripon est certain que celui-ci doit cacher entre ses murs un trésor démesuré. C'est pourquoi il se dirige de nouveau vers une des portes, bien décidé à le trouver...

Chapitre 9

Écrire des courriels n'est pas toujours le meilleur moyen d'avoir une réponse...

Rosalie se réveille en sursaut, après avoir rêvé un nombre incalculable de fois qu'une fleur s'amusait à lui croquer tous les orteils ! Elle ouvre les yeux et fixe le plafond un moment, lorsqu'un énorme, un gigantesque,

un éléphantesque (bref, un vraiment « BIG ») bruit la fait sursauter. Elle se tourne vers son amie et lui secoue le bras, mais cette dernière se contente de marmonner :

— Non, laisse-moi dormir encore un peu... Je m'apprêtais à sauter par-dessus un nuage en forme d'hippopotame...

— Oublie les hippos et écoute un peu tout ce vacarme. On croirait qu'un étage entier de ta maison est en train de s'effondrer !

Lolita s'assoit aussitôt et tend l'oreille. Après de longues minutes, le bruit cesse enfin et les deux filles se regardent en se demandant bien de quoi il s'agit. Pour le découvrir, elles se précipitent hors de la pièce et courent dans tous les sens, si bien qu'elles finissent par se rentrer dedans !

— Aoutch !

— Ouille !

Elles ont maintenant toutes les deux une belle bosse sur le front !

— OK, calmons-nous un peu, propose Lolita en se tâtant doucement la tête. Ça ne sert à rien de s'énerver de la sorte. Si je me souviens de ce qu'il y a tout là-haut, ce doit être… euh… je n'ai aucune idée de la pièce d'où ce bruit a pu provenir. Mais je suggère

de le demander à l'une des personnes qui travaillent ici. Il n'y en a pas tant que ça, alors ça devrait aller assez vite.

— Pas tant que ça, marmonne Rosalie pour elle-même. Il y a quand même ton agent, ta nounou,

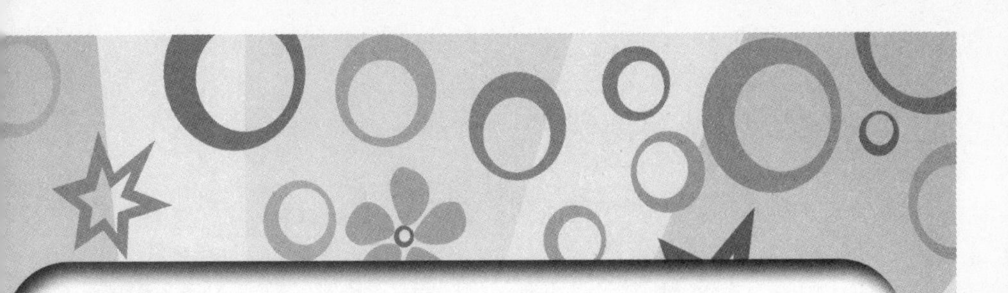

ta cuisinière, ton jardinier, ton concierge, ton majordome, ton hamster, ton chauffeur privé, ton scientifique, qui est aussi mon père, et… ta grand-mère qui n'est plus congelée du tout !

Lolita l'écoute à peine et pianote déjà sur son cellulaire pour poser des questions à tout ce beau monde.

Hakim, savez-vous d'où provient cet énorme BOUM ?

Désolé, mademoiselle Lolita. Je n'ai rien entendu, j'étais dans mon jardin. Mais peut-être que votre grand-mère serait au courant ?

Grand-maman
mamychou !
Où es-tu ?

Je suis en train de faire les boutiques, ma petite. Je viens justement de te trouver le cadeau parfait pour demain ! Oh, je te laisse, le vendeur me fait signe...

Monsieur Leraseur ? Avez-vous entendu un BOUM ?

Je ne peux pas vous parler en ce moment, mademoiselle Lolita, je suis un cours de chant privé avec Annette Manager. Mais je vous attends dans la salle de classe dès lundi matin, sans faute !

Arnold !
Je voulais
savoir si...

OCCUPÉ À
RAMASSER
UN HORRIBLE
DÉGÂT ! PAS
LE TEMPS !

Lolita soupire et lève la tête vers son amie, complètement découragée.

— Zut de zut ! C'est à croire qu'ils ont tous trop de travail pour me parler... Il ne me reste que mon hamster à qui je n'ai pas envoyé de message ! Tiens, je vais de ce pas y remédier...

Ti-poil ? Toujours rien de spécial dans ta cage ?

Quiiiick ! Quiiiiick !

— Euh… Tu veux dire que MÊME ton hamster a son propre cellulaire ??? demande Rosalie, interloquée.

— Évidemment ! Sinon, comment veux-tu qu'il puisse communiquer avec moi si je suis dans une autre pièce ! Pfff... Ce n'est qu'un hamster, il n'a pas la voix assez forte pour que je l'entende ! Bon, je vais faire un dernier essai avec Bernadette.

Bernadette ? Qu'est-ce que vous nous cuisinez de bon pour le souper ? Ah et en passant, vous n'auriez pas entendu un BOUM qui sort de l'ordinaire, par hasard...?

Oui !!! Euh, NON ! Je n'ai rien entendu ! Je n'ai absolument aucune idée de ce dont vous parlez. AUCUNE, AUCUNE, AUCUNE ! Promis ! Sur la tête de… de Ti-poil !

Ça ne compte pas, vous êtes allergique à Ti-poil !

Ah... Écoutez, mademoiselle Lolita, je suis trèèèès occupée. Je dois aller nettoyer tout le gâteau qu'il y a par terre !

Le gâteau
par terre ???

J'ai dit gâteau ? NON !!! Je voulais dire château ! À l'eau ! Bateau ! Oui, voilà ! Je faisais mention de vos parents, qui arrivent en bateau ! D'ailleurs, ils seront là d'une minute à l'autre. Vous devriez aller les accueillir…

Lolita referme si rapidement son téléphone qu'elle manque de l'échapper. Tout excitée, elle se tourne vers son amie et

lui lance, en oubliant complètement cette histoire de

BOUM :

— Tu vas enfin rencontrer mes parents ! Ils sont peut-être déjà là !! Vite, allons les recevoir !!!

— OK, mais tu sais, moi, me promener en moto...

— Oublie la moto, on va prendre la grande glissade !

— La grande glissade ?

Sans lui expliquer de quoi il retourne, Lolita court déjà dans une direction du manoir que Rosalie ne connaît pas encore. Au bout d'une dizaine de minutes, elle s'arrête enfin et dévoile ce qu'est LA GRANDE GLISSADE…

Cette dernière porte très bien son nom, car il s'agit d'une immense glissade en tire-bouchon qui descend de leur étage vers le rez-de-chaussée.

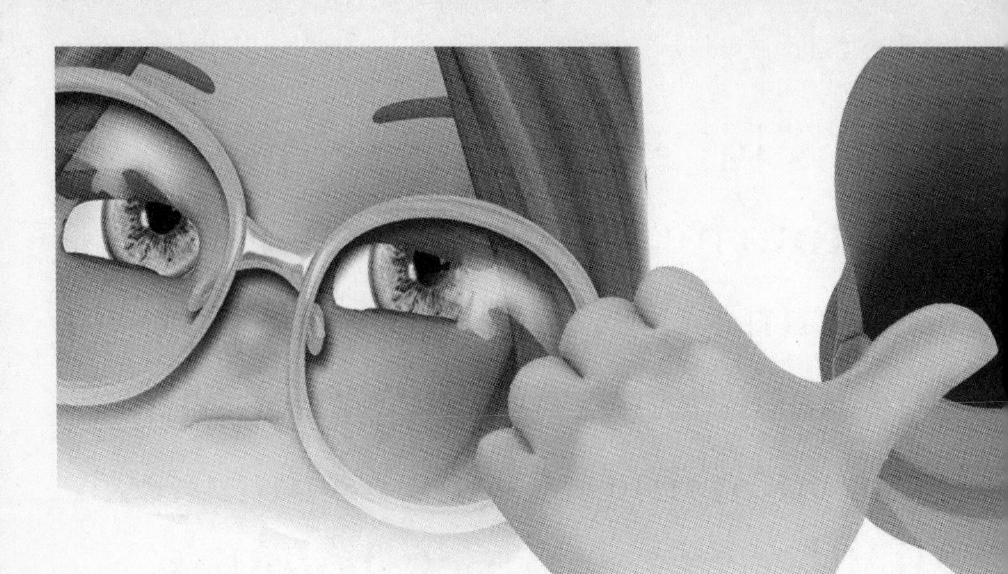

— Tu veux que j'embarque là-dedans ? s'enquiert Rosalie d'une voix inquiète.

— On l'a installée hier. Je n'ai même pas eu le temps de l'essayer encore. Ça me donne une idée. Comme tu es ma meilleure amie de tous les temps, je te laisse le privilège de passer en premier ! Génial, non ?

— Bien, c'est-à-dire que... Justement, puisque tu en parles, bafouille Rosalie, qui n'a aucunement l'intention de servir de cobaye pour tester la glissade.

Mais c'est ne pas bien connaître Lolita que d'imaginer qu'elle a le choix. Sans faire ni une ni deux, la jeune vedette donne une poussée dans le dos de son amie. Celle-ci bascule tête première dans la glissade et commence sa descente...

Elle atteint bientôt une vitesse de plus de cinquante kilomètres à l'heure ! Son cri doit résonner dans tous les recoins du manoir, car Rosalie hurle à pleins poumons ! En moins d'une minute, elle arrive tout en bas et plonge dans un matelas de plume hyper confortable, Lolita la suivant de près. Celle-ci rit

WOW!

YAHOUUUUUUUUUU!

à gorge déployée, heureuse de l'expérience. Ce qui est loin d'être le cas de sa voisine…

Mais Rosalie n'a pas le temps de s'appesantir très longtemps sur la frousse qu'elle vient d'avoir, car la porte d'entrée,

juste devant elles, s'ouvre en grand, dévoilant deux adultes portant des lunettes fumées. Lolita les reconnaît aussitôt et s'élance vers eux en criant :

— MAMAN ! PAPA !! VOUS VOILÀ !!!

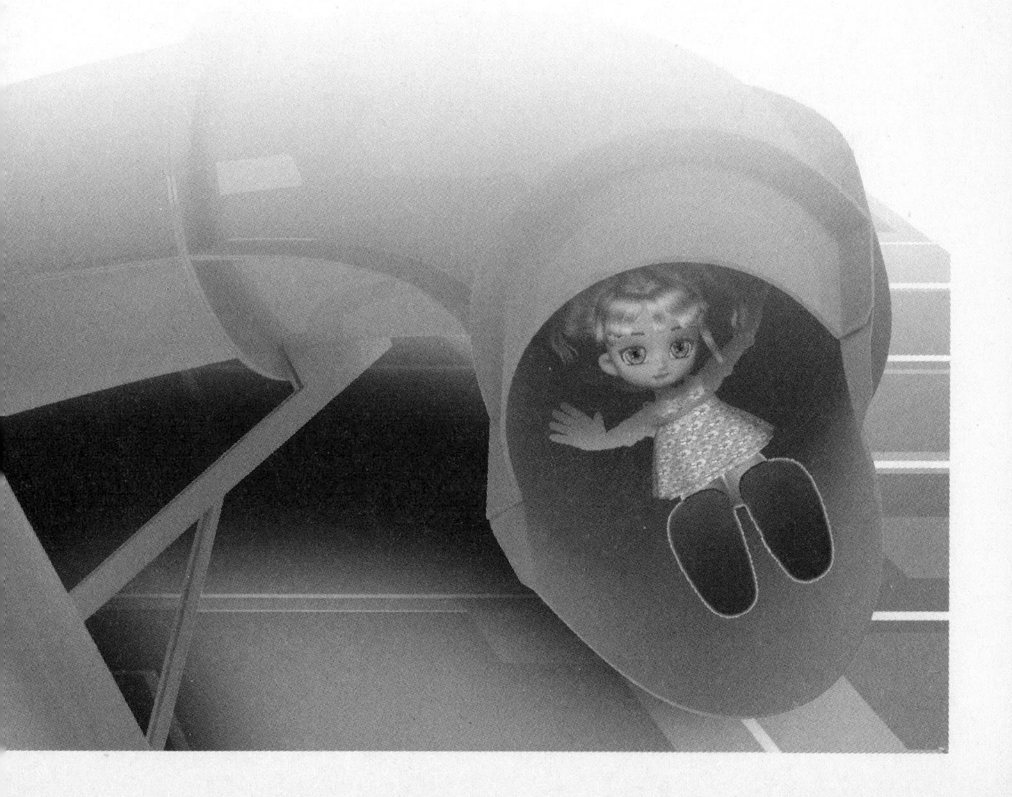

Chapitre 10

L'arrivée des parents, du parrain, de la marraine, des clowns et des acrobates

Lolita ne peut serrer ses parents dans ses bras, car une flopée de petits bonshommes lui barrent le chemin en effectuant mille et une acrobaties.

Ils font des pirouettes dans tous les sens, sautent un peu partout, gesticulent et finissent immanquablement par se cogner les uns aux autres !

Ce qui fait éclater de rire un autre personnage tout aussi coloré : un clown portant de gigantesques chaussures, une salopette mauve à pois jaunes et une superbe perruque multicolore.

Rosalie est ébahie devant tout ce beau monde qui tente de se frayer un passage dans le manoir et qui crée un boucan d'enfer ! Lorsqu'enfin la plupart d'entre eux disparaissent dans les couloirs, Lolita refait une tentative pour sauter dans les bras de son père et de sa mère...

Mais une femme se glisse entre eux et s'écrie :

— Lolita, ma chérie ! Je suis teeeeellement contente de te revoir ! Tu as encore grandi, ma parole ! Et comme tu es jolie !!!

— Merci, moi aussi je suis heureuse de te revoir, tante Marjo !

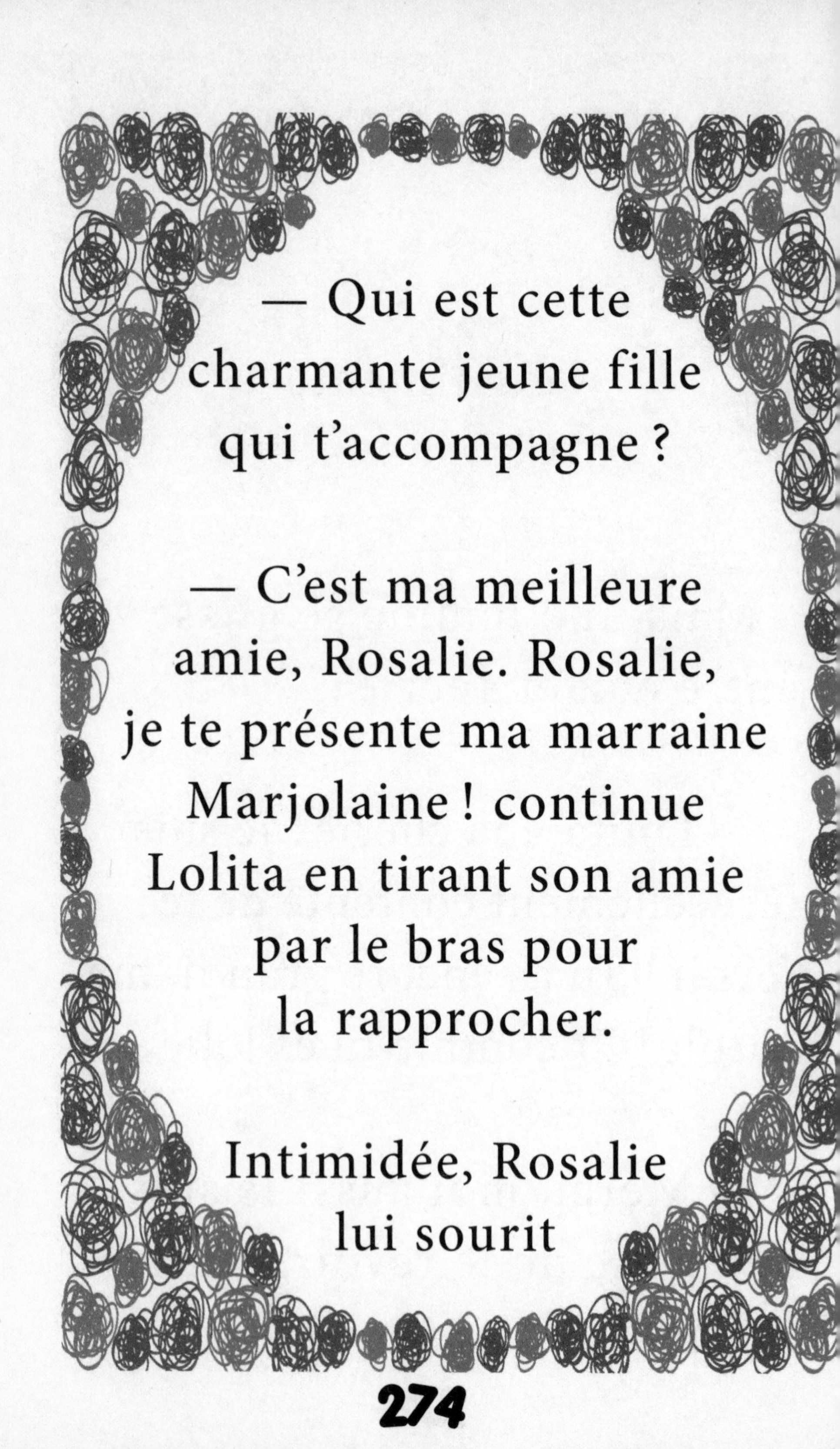

— Qui est cette charmante jeune fille qui t'accompagne ?

— C'est ma meilleure amie, Rosalie. Rosalie, je te présente ma marraine Marjolaine ! continue Lolita en tirant son amie par le bras pour la rapprocher.

Intimidée, Rosalie lui sourit

gentiment,
ne sachant trop
comment agir. C'est
que la femme qui se tient
devant elle est très jolie.
Elle a de belles boucles
blondes et porte une robe
blanche plutôt courte
qui se soulève dans
les airs au moindre
courant d'air.

De plus, son visage lui est vaguement familier... Où l'a-t-elle déjà vu ? Est-elle une actrice de cinéma ? Une chanteuse connue mondialement ou une vedette de télé-réalité ? Rosalie ne saurait le dire... Mais Lolita n'est pas longue à éclairer sa lanterne.

— Tu dois te demander si tu la connais, non ?

— Justement, je n'arrive pas à me rappeler... Passez-vous souvent à la télévision ?

la questionne Rosalie, en prenant son courage à deux mains.

La grande dame éclate de rire et secoue la tête, avant de répondre.

— Je suis le sosie de Marilyn !

— Marilyn… ?

— Marilyn Monroe, voyons ! La seule et unique Marilyn ! C'est mon travail de l'imiter, de m'habiller comme elle et de me montrer dans tous les événements ! N'est-ce pas un métier fantastique ?! s'exclame-t-elle en faisant la moue.

— J'imagine que oui, marmonne Rosalie, en se demandant ce que ça mange en hiver, un sosie, et surtout à quoi ça peut bien servir d'imiter quelqu'un d'autre à temps plein !

Mais la jeune fille n'a pas l'occasion de poser d'autres questions, car la marraine de Lolita les laisse en plan pour aller visiter le manoir de sa filleule. Enfin, l'amie de Rosalie va pouvoir sauter dans les bras de ses parents, quand… un autre personnage,

tout aussi étrange, se pointe et attrape Lolita pour la faire tourner en rigolant.

— Hi hi hi ! Lâche-moi, oncle Jim ! J'ai la tête qui tourne !!!

L'homme finit par la déposer et tous les deux exécutent de drôles de mouvements avec leurs mains, en se les tapant à un rythme infernal. Ils terminent le tout dans une drôle de danse que Rosalie a de la difficulté à suivre. Lorsqu'ils se tournent enfin vers celle-ci, Rosalie reconnaît l'homme et ouvre grand les yeux.

— Vous… vous… vous êtes… Jim… Jim… CARREY !!! WOW !

— C'est mon parrain ! s'exclame Lolita en souriant à belles dents. Et il est super cool. Il m'apporte toujours des cadeaux incroyables et amusants. J'ai hâte de découvrir celui de cette année..., lui lance-t-elle avec un clin d'œil.

— Tu ne le sauras que demain ! Bon, j'ai faim, moi. Ce voyage m'a creusé l'appétit ! Où est ta cuisine ? demande l'acteur en se frottant le ventre.

— C'est facile, tu vas voir. Deuxième porte à gauche,

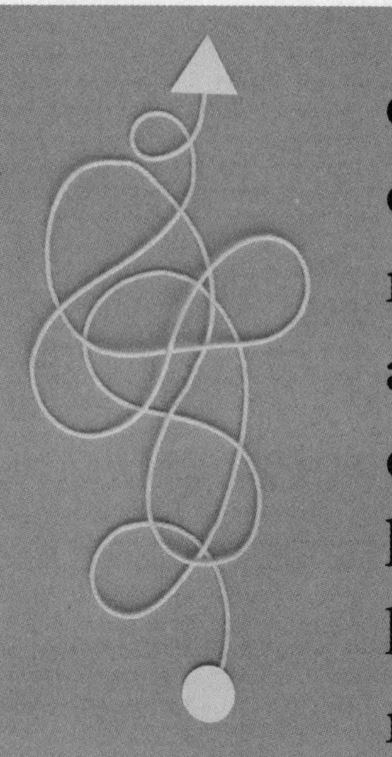

ensuite tu vas tout droit durant quinze minutes. Tu montes au troisième et quand tu arrives là-haut, tu prends l'ascenseur, mais tu ne dépasses pas le septième étage. Puis, toujours tout droit pendant un bon... vingt minutes, je dirais. Après, c'est encore plus simple. Alors c'est à droite, à gauche, encore à gauche, à droite, à droite, à droite, tu reviens sur tes pas, tu tournes en rond et... TU Y ES ! Voilà ! Tu ne peux pas

te tromper, à moins de
le faire exprès !

— Euh… OK, je vais partir tout de suite, dans ce cas, si je veux arriver d'ici la fin de

la semaine..., blague-t-il avant de saluer les deux filles.

— En plus, je crois que Bernadette a préparé des anchois marinés aux piments forts. Mes préférés ! lui crie-t-elle, alors qu'il disparaît à son tour.

Puis, sans plus attendre, Lolita se tourne vers ses parents, s'assure que plus personne ne va la bloquer sur sa lancée, et s'élance. Son père et sa mère l'accueillent les bras grands ouverts, avec de larges sourires.

Rosalie se sent même un peu de trop et recule pour leur laisser plus d'intimité, mais Lolita remarque son manège et lui fait signe de venir les rejoindre.

— Rosalie, je suis super heureuse que tu puisses enfin rencontrer mes parents.

— Enchantée, murmure la jeune fille en leur tendant la main.

Le père de Lolita la secoue avec vigueur, tandis que sa mère l'ignore pour la prendre carrément dans ses bras et la serrer très fort.

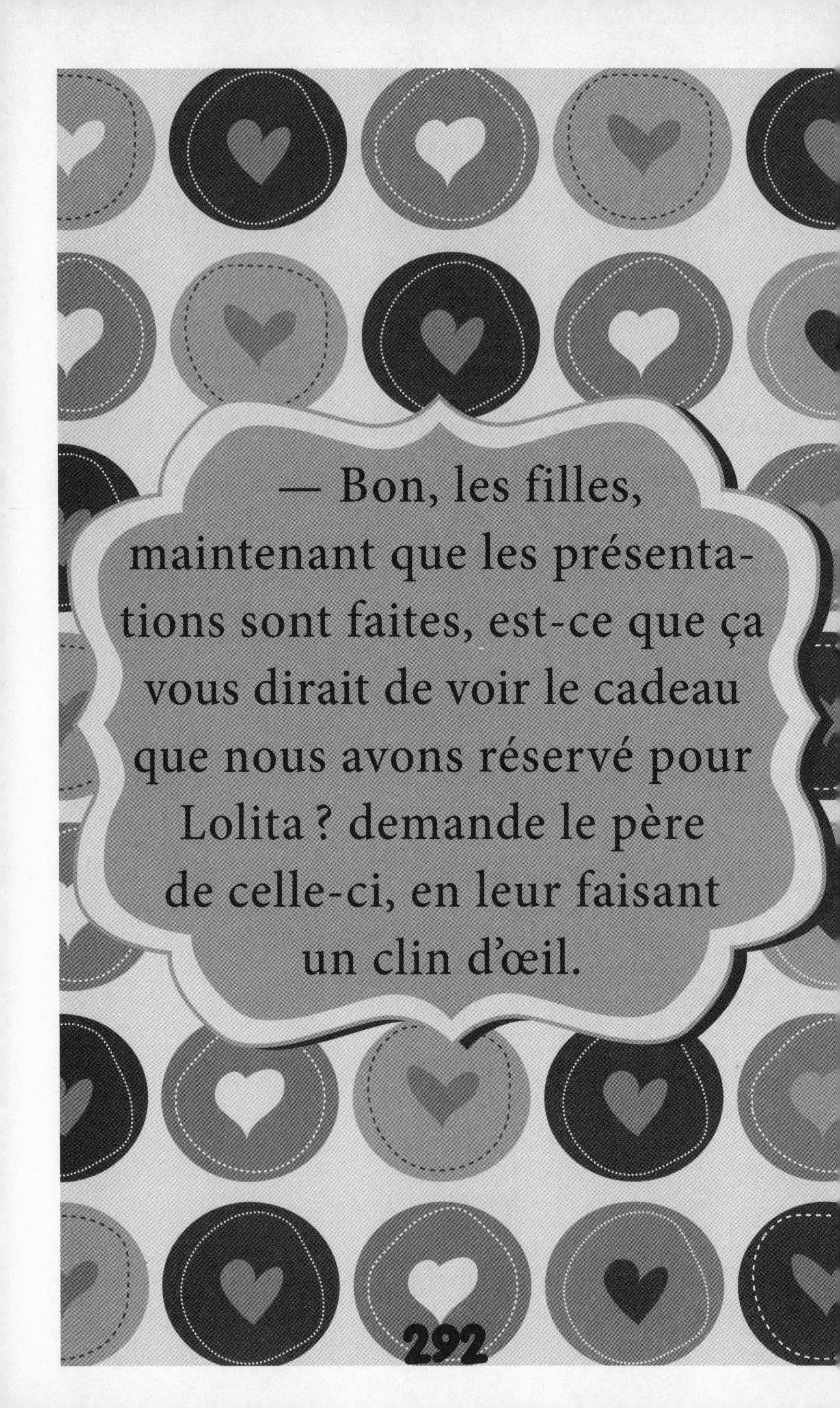

— Bon, les filles, maintenant que les présentations sont faites, est-ce que ça vous dirait de voir le cadeau que nous avons réservé pour Lolita ? demande le père de celle-ci, en leur faisant un clin d'œil.

— Tout de suite ? Vous n'attendez pas à demain pour me l'offrir ?

— Non, car nous ne pourrons pas rester très longtemps. Encore un autre film à tourner

au Venezuela, cette fois. Ensuite, direction l'Afrique du Sud et finalement, dans deux semaines, nous nous concentrerons sur ton propre film, Lolita. Toi aussi, tu devras retourner à ta vie d'actrice...

Lolita acquiesce sans rien dire. Seule Rosalie remarque que la jeune vedette n'a pas l'air d'apprécier ce retour à la réalité. Elle se fait la promesse de lui en glisser un mot lorsque son anniversaire sera passé.

Après tout, des meilleures amies, c'est aussi là pour tout se dire et se confier l'une à l'autre.

— Alors, comme je le disais, reprend le père de Lolita, je crois que ce cadeau devrait te plaire. Venez, il est à l'intérieur même du manoir. Sur le toit, pour être plus exact…

Et pendant que toute la famille se dirige vers la surprise qui attend Lolita, un voleur a également entrepris de visiter chaque étage, à la recherche d'un hypothétique trésor.

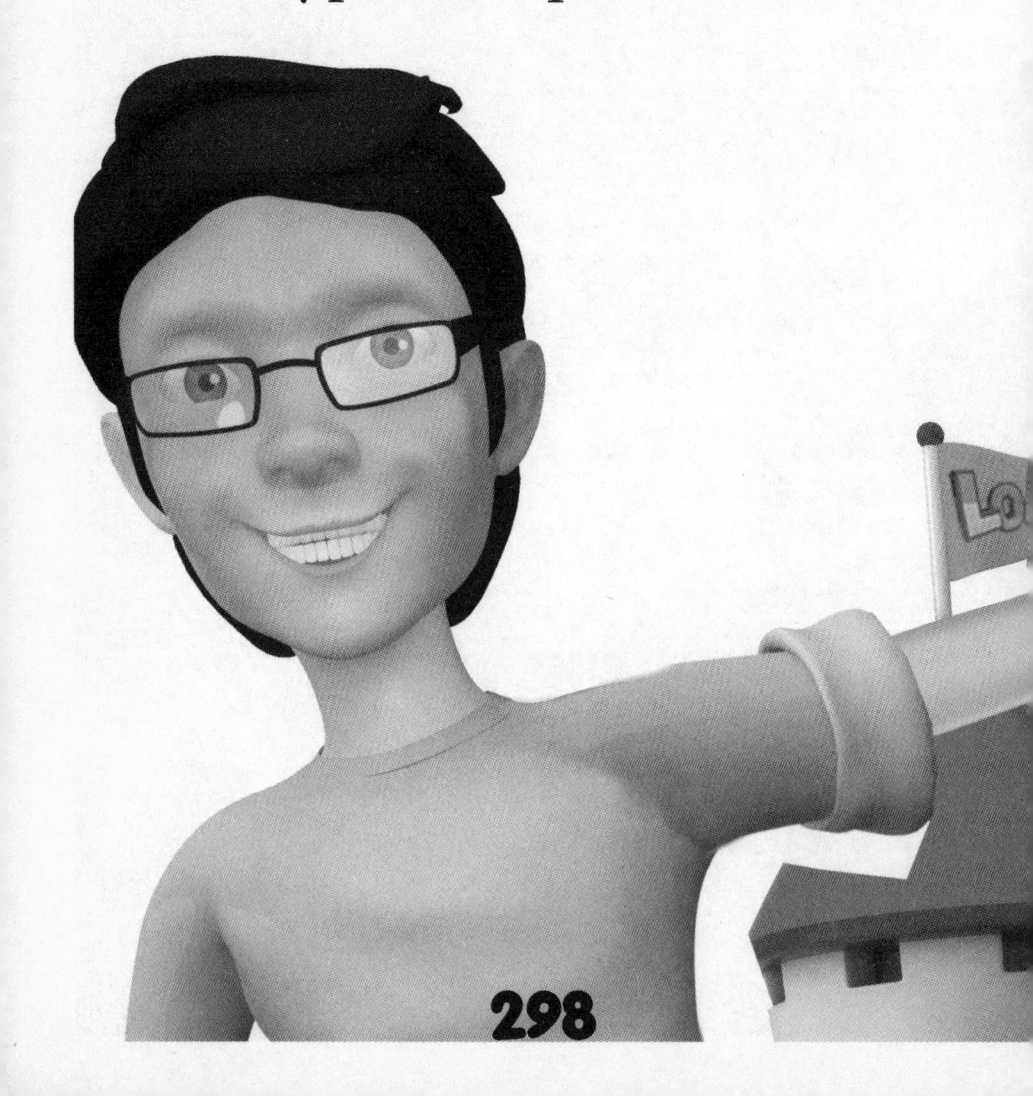

En commençant lui aussi par le toit...

Chapitre 11

Jouer les sirènes sur le toit du manoir

Un ascenseur de verre fait monter Rosalie, Lolita et ses parents tout en haut du manoir. Cela prend une bonne heure et pour passer le temps, la jeune vedette propose à tout le monde de jouer aux charades. Tandis que Rosalie lève les yeux au ciel, en se doutant que ça risque de mal virer, Lolita explique les règlements.

— Alors c'est hyper simple…

— Hum, hum…, grommelle Rosalie, sans rien ajouter.

— Il suffit seulement de faire deviner des mots aux autres. C'est ça, Rosalie ?

— Oui, mais il faut séparer le mot en syllabes, ne l'oublie pas.

— Je sais, je sais ! Ensuite, il faut dire « mon premier » et « mon deuxième ».

— Pourquoi on dirait ça ? demande sa mère en haussant un sourcil.

Lolita jette un coup d'œil à son amie en espérant que celle-ci pourra lui venir en aide.

— Il ne faut pas juste dire « mon premier ». Mon premier, c'est le premier indice. Donne-leur un exemple, Lol, ils vont mieux comprendre.

La jeune vedette acquiesce et commence à réfléchir au mot qu'elle leur fera deviner. Elle se pince les lèvres, se mord les joues, se ronge un ongle et finit par lever un doigt dans les airs !

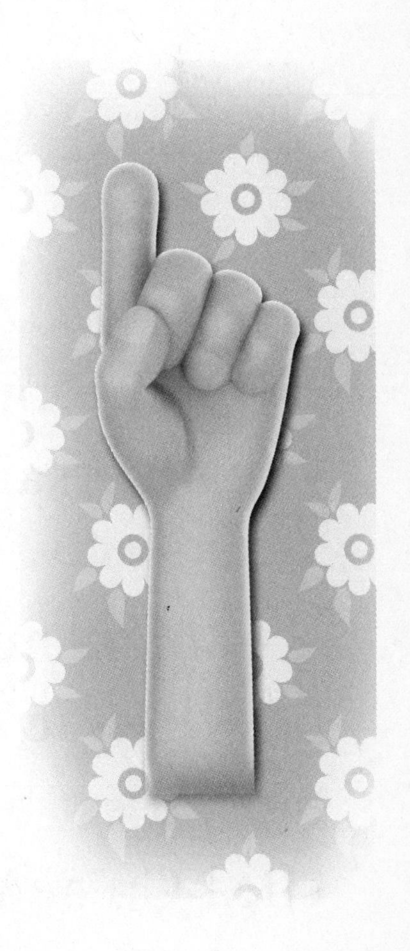

— JE L'AI ! Je vais vous faire une charade avec le mot « anniversaire » !

— Mais non, Lol ! Il ne fallait pas nous le dire ! En plus, ton mot, il est beaucoup trop difficile ! Ça ne marchera jamais !

JAMAIS!

Lolita croise les bras et fait la moue. Décidément, ce jeu, elle commence à l'apprécier de moins en moins. Mais pour ne pas perdre la face, elle s'écrie :

— Au contraire ! Ce mot, il est bébé-fafa ! Tu vas voir ! Bon… mon premier est…

— Stop ! Avant, tu dois donner le nombre de syllabes, la coupe Rosalie, qui n'est pas du tout impressionnée.

— Ben oui, je le savais ! Il y a donc… euh… euh…

Lolita hésite tellement qu'elle finit par perdre patience et sans que personne s'en aperçoive, elle attrape son cellulaire dans sa poche et se met à pianoter dessus. Ni vu ni connu…

Monsieur Leraseur...
J'aurais un énorme,
un gigantesque,
un éléphantesque
(bref,un vraiment « BIG »)
service à vous demander...
Pourriez-vous m'aider à faire
une charade avec le mot
« anniversaire » ?
S'IL VOUS PLAÎT !!!

Hum... D'accord.
C'est facile. Donc,
je le séparerais en
trois syllabes.

Lolita baisse les yeux subtilement vers son téléphone, toujours caché dans sa poche, lit la réponse de son professeur et s'écrie, victorieuse :

— TROIS SYLLABES !

— Mais non, il y a cinq syllabes dans ce mot ! intervient Rosalie.

— Peut-être, mais moi… euh… moi, j'ai trois syllabes à vous faire deviner. OK ?

Puis, elle essaie encore une fois de lire le message de monsieur Leraseur.

Alors mon premier est le nom d'une jeune fille.

Ce que répète aussitôt Lolita à son public.

— Joanie ! essaie son père.

— Suzanne ! tente sa mère.

— Mais non, c'est Annie ! répond Rosalie, avec découragement. C'est le mot « anniversaire ». Alors le prénom est Annie.

Lolita hoche la tête, contente d'elle, et baisse les yeux de nouveau. Ce qui intrigue Rosalie au plus haut point...

Mon deuxième est un petit animal qui rampe et qui vit dans la terre. On peut s'en servir pour pêcher les poissons !

Sans hésiter, Lolita redit mot pour mot la définition.

— Une fourmi ! hasarde sa mère.

— Euh… une araignée ? demande son père.

— On croirait qu'ils le font exprès, marmonne Rosalie pour elle-même. C'est un ver de terre ! Ou plutôt, un ver ! Pour « anniVERsaire ».

Lolita est si fière de ses indices que, pour le dernier, elle en oublie la subtilité et regarde carrément son cellulaire sous le nez de tout le monde.

Mon troisième est le verbe servir...

Lolita ouvre à peine la bouche que Rosalie s'exclame aussitôt.

— À qui tu parles, au téléphone ???

— Personne !

Mais Rosalie est plus rapide et elle lui a déjà pris l'appareil des mains, pour en lire les nombreux messages de l'enseignant.

— Je le savais ! C'est monsieur Leraseur qui te dicte ta charade ! Lolita Star, tu n'es qu'une tricheuse !!!

— C'EST FAUX ! Je ne suis PAS une tricheuse ! C'est ton jeu, aussi, qui est ultra compliqué ! Il devrait être interdit de jouer aux charades !

— C'est toi qui as proposé d'en faire une ! Et ce n'est pas difficile !

— LES FILLES ! ÇA SUFFIT ! les gronde le père de Lolita en élevant la voix. Ce jeu est visiblement trop complexe, alors pourquoi ne pas faire autre chose ?

La cabine de verre s’arrête alors à ce moment.

— De toute manière, nous y sommes ! lance la mère de la jeune vedette en pointant le toit.

Oubliant la raison de sa colère, Lolita sort la première,

suivie de près par Rosalie.
Les deux amies font immédiatement face à une piscine creusée qui fait presque la moitié du toit (ce qui n'est pas peu dire...). Et dans l'eau bleu clair, une étrange créature nage à reculons.

UNE SIRÈNE !!!

Le père de Lolita vient se poster entre les deux filles et explique :

— Nous avons pensé qu'un cours de sirène te ferait plaisir. Alors voici ton entraîneuse. Elle porte un costume avec une queue de poisson. Il y en a d'ailleurs plusieurs autres dans cette boîte. Vous pourrez ainsi vous en choisir un de votre couleur préférée. Et ensuite, plonger dans la piscine pour aller la rejoindre. Ça vous tente ?

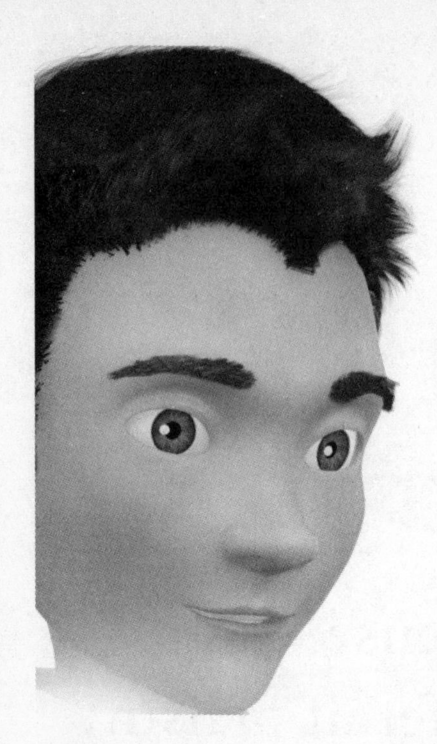

— OH OUI !!! s'écrie Lolita en lui sautant dans les bras.

Elle ne demande même pas à Rosalie si l'expérience l'intéresse et lui attrape le bras pour aller revêtir un costume. Lolita extirpe de la boîte une longue queue turquoise avec des brillants, tandis que Rosalie porte son choix sur une queue mauve et rose. Elles enfilent le tout et se glissent dans l'eau, sans trop savoir comment nager.

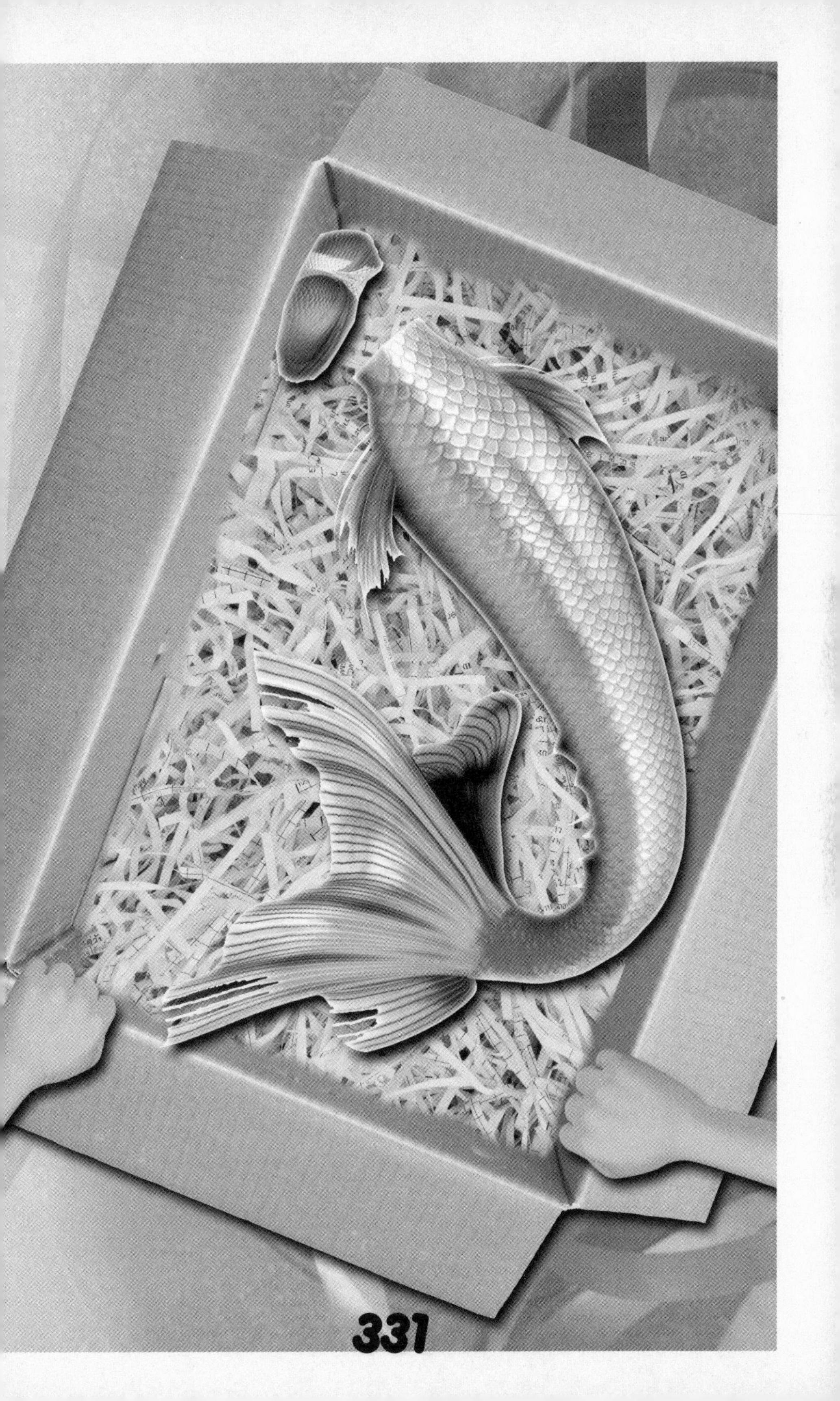

Leur entraîneuse vient les rejoindre et leur explique les rudiments de la nage

des sirènes. Les deux amies comprennent bien vite ce qu'elles doivent faire. Durant toute l'heure qui suit, elles nagent comme de jolies sirènes, sans se douter que non loin de là, caché derrière un pot de fleurs, un voleur les espionne...

Ce dernier a réussi à se hisser tout en haut et il vient de découvrir à qui le manoir appartient. Son cerveau, habituellement occupé à chercher quelle nouvelle banque il va cambrioler,

a une toute nouvelle idée.
Afin de se faire un maximum d'argent, il va kidnapper la jeune Lolita Star...
POUR DEMANDER UNE RANÇON !!!

Notre vilain voleur retient un rire démoniaque et commence à élaborer un plan derrière son pot de fleurs…

Perdue en pleine nuit dans le manoir des Star...

Rosalie se retourne dans le lit matelassé de sa meilleure amie, sans arriver à trouver une position confortable. C'est qu'elle n'est pas habituée à autant de luxe. Et il y a beaucoup trop d'oreillers

autour d'elle. En plus, avec ces draps de satin, elle passe son temps à glisser et à se retrouver sur le plancher !

Lolita, elle, semble dormir à poings fermés. Sa bouche est ouverte en un rond parfait d'où s'échappent d'HORRIBLES

RONFLEMENTS à réveiller un ours en pleine hibernation !

Rosalie en vient à regretter d'avoir dit oui à sa voisine quand celle-ci lui a demandé si elle voulait dormir chez elle. La jeune fille n'a jamais

découché et cette première expérience est loin d'être agréable. Oh, évidemment, les deux amies ont eu bien du plaisir avant d'aller se coucher.

Sans compter qu'elles ont rigolé une bonne heure avant que Lolita ne commence à bâiller et s'endorme sans plus de cérémonie. Laissant Rosalie seule avec son insomnie...

Elle essaie encore une fois de se tourner face au mur. Lentement, elle lève le bras, se secoue le bassin, glisse un peu et s'arrête aussitôt. Quelques secondes d'attente et la voilà qui retente le tout pour le tout, mais plus vite. Dans un mouvement rapide, Rosalie change de côté. Mais le pire survient de nouveau :

les couvertures la tirent vers le bas et elle se retrouve les fesses par terre !

Cette fois, elle en a assez ! Rosalie se relève et décide d'aller boire un petit verre d'eau à la cuisine. Mais encore faut-il qu'elle la trouve, cette fichue cuisine ! Il est trop tard pour envoyer un message à Bernadette pour lui demander de la guider à travers le manoir... En plus, avec le concierge qui circule dans le coin à toute heure du jour ou de la nuit, elle risque de se faire punir s'il la surprend ! Lolita le lui a bien dit avant de se coucher : « Surtout, ne sors pas de la chambre ! Monsieur Arnold n'entend pas à rire lorsqu'il croise un intrus dans les couloirs en pleine nuit ! »

Comment faire, alors, pour ne pas attirer l'attention ?

Un éclair de génie lui vient subitement. Pourquoi ne pas se déguiser en Lolita ? Après tout, la ressemblance entre les deux filles était plus que

frappante lorsque Rosalie avait enfilé une perruque au pyjama party ! Elle avait même complètement mystifié la bande de filles de son école, qui passait son temps à rire d'elle et à l'insulter...

C'est décidé, Rosalie va se déguiser avant de sortir de la chambre. Sans plus attendre, la jeune fille se penche et fouille sous le lit dans le but de trouver la valise contenant perruques et vêtements de star. Après seulement quelques

lolita
STAR

minutes, elle est tout à fait méconnaissable…

Elle est maintenant prête à aller se promener dans le manoir sans se faire reconnaître par qui que ce soit. Ainsi, le concierge ne s'offusquera pas de la voir en pleine nuit. Au pire, si elle croise l'un des employés de Lolita, elle n'aura qu'à parler à voix basse pour lui dire qu'elle avait un petit creux.

Avant de sortir de la pièce, Rosalie jette un dernier coup

d'œil dans le miroir sur pied, tout près du lit, et elle remarque un détail qui risque de la trahir... SES LUNETTES ! Lolita n'en porte pas, elle ! Mais Rosalie ne peut pas marcher sans les siennes. C'est à peine si elle aperçoit le bout de son nez, sans ses verres !

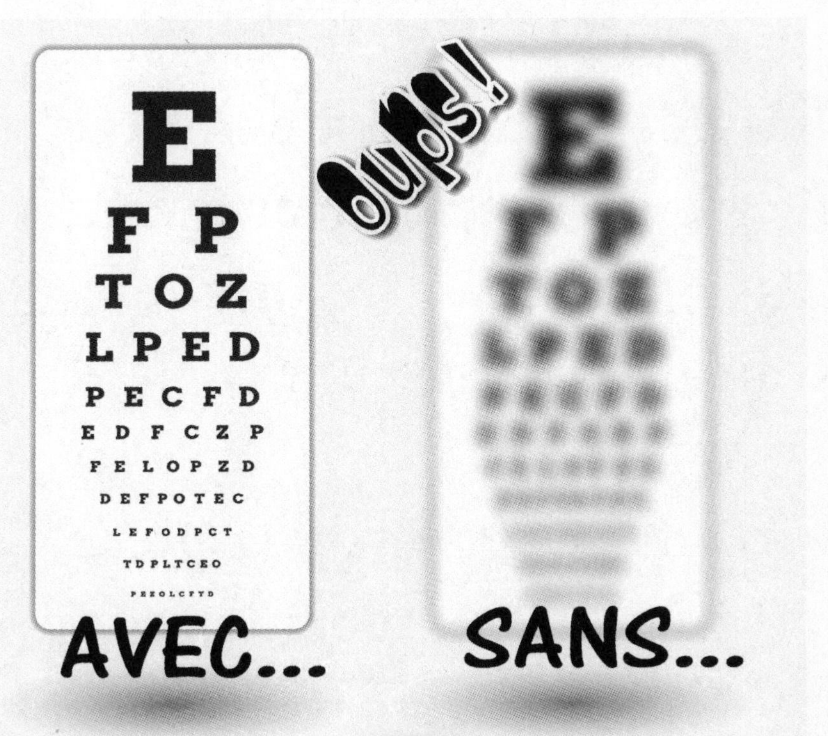

Que faire ?

Rosalie réfléchit un moment, puis finit par se décider. Elle va garder ses lunettes, mais si elle entend le moindre bruit suspect, elle se dépêchera de les enlever et de les cacher

dans ses poches. Ainsi, ni vu ni reconnu !

Sur la pointe des pieds, elle avance dans le premier couloir qu'elle croise. Il lui semble que la cuisine est dans cette direction. Mais elle pourrait

se tromper… C'est pourquoi Rosalie décide de tourner à droite au premier embranchement. Si elle avait pris le GPS de son amie, aussi !

Oh, un escalier. La cuisine est-elle en bas ou en haut ? La jeune fille est désorientée. Les corridors lui semblent tous pareils. Elle retourne sur ses pas, ne reconnaît plus le chemin qu'elle a emprunté pour se rendre là… Zut, alors ! Elle est perdue ! Bon, elle n'a pas le choix, on dirait.

En fouillant dans sa poche, elle attrape son cellulaire, qu'elle a pensé à apporter avec elle, et écrit un message de détresse à Lolita. Rosalie se croise les doigts pour que son amie se réveille et le lise…

Lol ! SOS !
Je suis perdue, tu vas devoir venir me chercher !!!

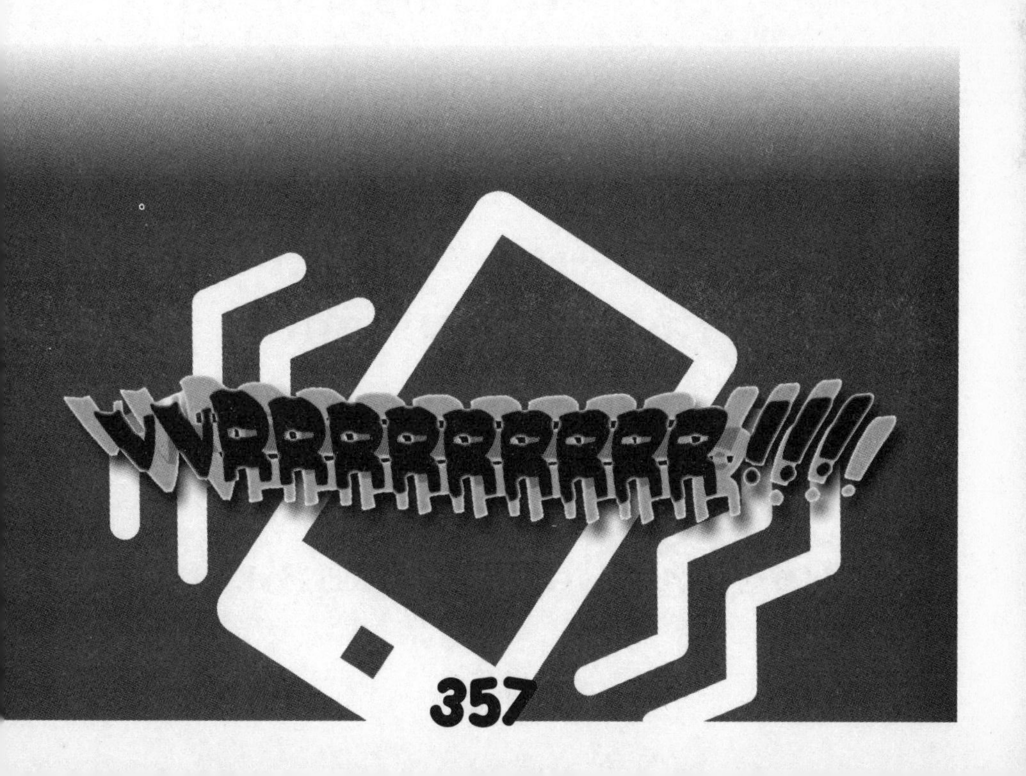

Elle patiente quelques secondes à peine, puis son téléphone vibre et elle saute de joie en regardant la réponse de Lolita.

Mais… je peux savoir ce que tu fais ? Il est plus de minuit ! Tu devrais dormir à cette heure !

Je sais, mais j'avais soif et j'ai voulu me rendre à la cuisine.

11 12 1
10
9
8 7 6

Pourtant, je t'ai bien dit de ne pas sortir de ma chambre…

Je sais… Désolée, je ne t'ai pas écoutée. Mais tu vas devoir m'aider à retrouver mon chemin, d'accord ?

Bien sûr, je suis là pour toi ! Bon, commence par regarder ce qui t'entoure, pour que je sache où tu es exactement.

Rosalie s'exécute et cherche quelque chose qui pourrait lui donner un indice de sa position. Mais tout ce qui lui parvient est un drôle de bruit en provenance du couloir adjacent. Sans faire ni une ni deux, elle retire ses lunettes pour que la personne qui approche la confonde avec Lolita.

Juste avant, elle envoie un dernier message à son amie :

Quelqu'un approche ! Je vais sûrement avoir de l'aide pour revenir jusqu'à toi ! Ça doit être ton concierge, monsieur Arnold.

Dès qu'elle pèse sur « Envoyer », elle lève la tête et se retrouve face à face avec un homme qui la dévisage. Il s'agit de Fripon Dupont, qui est aux anges, car, sans même l'avoir cherchée, il est tombé sur Lolita Star, celle-là même qu'il voulait kidnapper afin de réclamer une énorme rançon ! Mais le voilà qui plisse les yeux, comme si quelque chose clochait avec le visage de la jeune vedette. Rosalie croise les doigts, dans son dos, pour que l'employé devant elle ne se rende pas compte de la supercherie.

Il finit par hausser les épaules et l'agrippe solidement par le bras. Puis, il l'emmène avec lui…

Rosalie n'a aucune idée de l'identité de l'homme. Elle s'imagine simplement qu'il s'agit de monsieur Arnold, mis de mauvaise humeur parce qu'il l'a croisée là en plein milieu de la nuit.

Comme pour la contredire, Lolita vient justement de lui envoyer sa réponse. Que Rosalie n'est malheureusement pas en position de lire…

Ça ne peut pas être Arnold ! Celui-ci est avec moi et on est présentement à ta recherche… Rosalie, qui est cet inconnu ???

Chapitre
13
Pas facile de kidnapper une vedette... ou plutôt sa meilleure amie !

Notre voleur marmonne dans sa barbe, tout en entraînant Rosalie derrière lui. Il marche d'un bon pas et pour la jeune fille qui ne porte pas ses lunettes, il est très difficile de le suivre sans s'enfarger. Elle finit d'ailleurs par le lui dire.

— Vous êtes bien pressé, monsieur Arnold ! Je ne peux pas courir dans le noir, vous savez !

— CHUUUUT ! Baisse le ton ! Et qui est cet Arnold, d'abord ?

— Euh… c'est vous ?

— Pas du tout ! Il ne fait pas si noir, pourtant ! Comment peux-tu me confondre avec cet Arnold ?

Rosalie avale sa salive. Pas question de se faire reconnaître ! Si c'est un autre employé de Lolita, elle doit trouver de qui il s'agit sans que cela paraisse. Ça pourrait être monsieur Leraseur, son professeur, monsieur Hakim, le jardinier, monsieur Otto, son chauffeur, ou encore son majordome...

Chose certaine, il s'agit d'un homme et non d'une femme, ce qui élimine sa grand-mère, sa cuisinière et sa nounou de l'équation. Et puisque les parents de Lolita sont déjà repartis, il ne peut s'agir d'eux non plus…

La poche de Rosalie vibre sans arrêt, signe que Lolita lui écrit plusieurs messages de suite, mais la jeune fille ne peut pas sortir son cellulaire devant l'homme qui la guide. C'est en songeant à son amie que Rosalie a un éclair de génie. Pour deviner de qui il s'agit, elle va lui proposer un jeu, mine de rien… Un jeu de CHARADES !

— Dites, ça vous dirait de faire une charade ? Vous savez comment ça fonctionne, n'est-ce pas ?

Fripon s'arrête net et se tourne vers la jeune fille. Car s'il y a UN jeu que notre voleur adore et auquel il jouerait encore et encore, c'est bien celui-là ! Il se rappelle d'ailleurs toutes les soirées qu'il a passées avec sa mère à essayer de lui faire deviner un mot après l'autre.

Un large sourire étire son visage et il hoche la tête avec vigueur.

— Super ! s'écrie Rosalie. Donc, c'est vous qui allez commencer. Vous devez me faire deviner un mot... en lien avec votre métier !

Son métier ?! Fripon Dupont hésite, cherche LE mot parfait, gratte sa barbe naissante, puis lève enfin un doigt victorieux dans les airs. OUI ! Il a trouvé. Et sans attendre, il donne son premier indice.

— Hum… Mot de deux syllabes.

— Parfait ! rétorque Rosalie, en s'assoyant par terre, imitée par notre voleur qui prend place devant elle.

— Mon premier est ce que fait un oiseau…

— Euh… il chante !

Fripon secoue la tête, sans se départir de son sourire.

— Dans ce cas… il mange des graines ? reprend Rosalie.

De nouveau, Fripon fait signe que non.

— Oh, je l'ai ! Il VOLE !

— OUI ! C'EST ÇA !!! acquiesce le voleur d'une voix forte.

— Hi, hi ! Je suis trop forte à ce jeu. D’accord, alors quel est le second indice ?

Fripon réfléchit une fraction de seconde avant d’ouvrir la bouche.

— Mon deuxième est affiché sur une horloge…

— Les chiffres ?

Notre voleur répond par la négative.

— Les aiguilles ? Le temps ? C'est vraiment difficile, celui-là…

— Attends, je vais te donner un indice sur mon mot. Mon tout est le nom du métier que je fais le mieux…

— Ouais, bon, ça ne m'aide pas vraiment. Si je reprends : mon premier est VOLE et mon second est affiché sur une horloge… LES HEURES ! C'est ça, je suis certaine ! Donc, si je mets les deux indices ensemble, ça donne : VOLE-HEURE ! Voleur ? Vous êtes un… VOLEUR ?!? VOUS ÊTES UN VOLEUR ???

Fripon sourit à belles dents et Rosalie peut à présent le voir, car elle n'a pas hésité à fouiller dans sa poche à la recherche de ses lunettes. En effet, l'homme qui est assis en Indien face à elle lui est totalement inconnu ! Et il ne travaille certainement pas pour Lolita ! C'est un voleur qui s'est introduit dans le manoir de la vedette, dans le but de la cambrioler ! Ou pire… de la KIDNAPPER !!!

D'ailleurs, notre Fripon n'est pas long à se remettre sur pied et à lui attraper la main pour la relever. Il hésite toutefois, en apercevant les verres de la jeune fille.

— Je ne savais pas que tu portais des lunettes ? C'est nouveau ?

— Non, j'en porte depuis des années.

— Pourtant, tu ne les mets pas quand tu tournes un film.

Toujours figée de peur, Rosalie répond sans réfléchir plus longtemps.

— Je ne tourne pas de film, c'est Lolita qui… Euh, je veux dire…

Mais il est trop tard pour revenir sur ce qu'elle vient d'avouer. Fripon fige à son tour et la dévisage lentement, avant de lancer, les yeux exorbités :

— Tu n'es pas Lolita !

Qu'est-ce que tu faisais à rôder dans son manoir ??? Es-tu une voleuse ? Si c'est le cas, tu sais que ce n'est pas du tout correct de cambrioler la maison de Lolita Star ! Elle a travaillé très fort pour avoir tout cet argent ! Et je ne laisserai pas une jeune voleuse lui en chiper une partie !

— JE NE SUIS PAS UNE VOLEUSE ! D'ailleurs, je croyais que c'était vous, le voleur !!

Rosalie n'a pas le temps d'ajouter quoi que ce soit que des voix leur parviennent. Aussitôt, son ravisseur se met à crier, à l'intention des nouveaux venus.

— Je l'ai attrapée ! Elle tentait de s'infiltrer dans votre manoir en se faisant passer pour Lolita Star ! Elle est vraiment douée, cette friponne ! Par chance, j'étais là...

Lolita débouche dans le couloir et fonce vers eux, sans se soucier le moins du monde du discours de Fripon Dupont. Elle est suivie de près par Arnold le concierge, qui tente de la retenir, mais n'y parvient pas. Déjà, Lolita a sauté dans les airs et a atterri sur le dos du voleur. Elle l'écrase au sol et, dans un mouvement souple de karaté, elle lui tient la tête par terre, de manière qu'il ne puisse plus se relever.

Il se plaint d'ailleurs en émettant de faibles cris de douleur.

— Aïe, aïe, aïe, mais je suis innocent ! Ce n'est pas ce que vous croyez ! Lâchez-moi, je vous en prie ! hurle-t-il sans aucun résultat.

Lolita pose les yeux sur son amie pour lui demander :

— Tu vas bien, Rosalie ? Il n'a pas été méchant avec toi ?

— Non, non, tu peux le laisser aller. Il était même très gentil. On a joué aux charades et il était plutôt doué...

— AUX CHARADES ! Pfff... Juste pour ça, il mériterait que je lui fasse passer un mauvais quart d'heure ! Tu sais comme je DÉTESTE ce jeu !

— Pourtant, c'est super facile. C'est toi qui ne comprends rien à rien ! Tu essaies toujours de...

ALLEZ!

— Bon, est-ce que vous pourriez me lâcher ? supplie le voleur, en coupant court à la dispute qui commence entre les deux filles.

Lolita soupire et finit par lui permettre de se relever. Arnold empoigne à son tour l'intrus et le tient solidement face à la jeune vedette. Mais celle-ci est occupée à détailler son amie de la tête aux pieds.

— Je peux savoir pourquoi tu t'es déguisée en moi ? la questionne-t-elle en fronçant les sourcils.

— Oh, ça ? C'est parce que je ne voulais pas qu'on me punisse de me promener dans ton manoir durant la nuit. Tu m'avais bien recommandé de ne pas sortir de la chambre, alors…

— En fait, ce n'est pas grave que tu sortes de ma chambre. C'était seulement parce que j'avais peur que tu te perdes... Et c'est d'ailleurs ce qui s'est passé, non ?

Les deux filles éclatent de rire et se serrent dans leurs bras pour se remettre de leurs émotions. Ce n'est qu'après cette mise au point que Lolita se tourne enfin vers Fripon Dupont... et s'exclame :

— Mais... je te connais, toi !? Tu n'es pas du tout un voleur ! Tu es...

Enfin, une fête réussie, un voleur qui *n'en* est pas *réellement* un et un *tournage* de film qui approche à grands pas !

Les acrobates passent devant les yeux éblouis de tous les spectateurs. Ils font mille et une pirouettes qui suscitent à chaque fois des tas de commentaires élogieux.

— Je me demande s'ils font partie du Cirque du Soleil, s'interroge Patricia, la chef de la bande de filles, conviée pour la journée.

— Incroyable ! On dirait qu'ils vont se casser le cou ! lance Manuel, le petit *nerd* de l'école, qui a aussi trouvé un moyen de se faire inviter à l'anniversaire de Lolita.

— En tout cas, moi, je trouve qu'ils sont étranges, avec leur costume moulant, déclare Annabelle qui n'est finalement pas si belle que ça.

— Chose certaine, j'aurais ajouté un peu de rose à leur tutu, affirme Iris, qui adoooore le rose.

— Wow... un jour, moi aussi, je serai acrobate, chuchote Étienne, en s'enfargeant dans une brindille et en s'étalant de tout son long sur le gazon.

— Avec Lolita dans les parages, je vais essayer d'avoir ce fichu autographe, songe Érica, qui tient dans ses mains papier et crayon.

— Oh là là, je viens encore de perdre ma grenouille dans cette fontaine ! s'énerve Henri, qui vient de plonger dans l'eau sans même jeter un coup d'œil

au spectacle de cirque,
et qui n'a toujours
rien à voir avec
notre histoire...

Rosalie, pour sa part, est aux anges. Aux côtés de sa meilleure amie, elle sourit de toutes ses dents. Tout comme la jeune vedette, qui n'en finit plus d'apprécier les cadeaux qu'elle

reçoit pour sa fête, les activités organisées par son personnel et les représentations des équilibristes, trapézistes, clowns et voltigeurs venus pour l'occasion.

Dans un coin, une scène a été installée, sur laquelle plusieurs groupes populaires de l'heure chantent et jouent de la guitare. Un peu plus loin, des manèges et une grande roue font le plaisir de tout un chacun. Et au-dessus de tous ces divertissements, des feux

d'artifice impressionnent ceux qui lèvent les yeux au ciel. Pour couronner le tout, Bernadette a eu le temps de refaire son gâteau et en sert de généreuses parts aux gourmands qui viennent lui en redemander ! Bref, la fête de Lolita est un succès sur toute la ligne.

Même notre voleur, Fripon Dupont, fait partie des invités… Car ce que Lolita a découvert durant la nuit a changé complètement le statut du brigand. Lolita se tourne d'ailleurs vers lui, pour en rire encore une fois.

— Dire que tu te faisais passer pour un voleur ! Incroyable !

— Ah mais tu connais le métier d'acteur ! Pour interpréter un rôle à la perfection, rien de mieux que de réellement entrer dans sa peau…, rétorque l'homme.

— Donc, si j'ai bien compris, vous vous appelez François

Danois, et non Fripon Dupont, c'est ça ? demande Rosalie, en s'immisçant dans la conversation.

— Exactement ! lui confirme ce dernier.

— Et vous êtes un acteur célèbre qui s'entraînait pour son prochain rôle au cinéma ?

— Encore une fois, tu as tout à fait raison. Lolita m'a reconnu au premier coup d'œil. Il faut dire que nous avons déjà joué ensemble dans un film. Ce qui me fait penser, ma chère Lolita... Es-tu prête à retourner bientôt à Hollywood ? N'oublie pas que tu dois recommencer à travailler sous peu.

Lolita baisse le menton et réfléchit. Oui, elle aime son travail,

mais elle n'a pas le goût d'être séparée de sa meilleure amie, Rosalie. Comment faire, alors, pour la garder auprès d'elle ? Pendant qu'elle réfléchit à la chose, François Danois se lève et salue une dernière fois les deux filles.

— Bon, ce n'est pas tout, mais j'ai encore du pain sur la planche ! On se revoit sur un plateau de cinéma, chère Lolita ! Et toi, Rosalie, j'ai été bien content de te rencontrer. La prochaine fois, je tenterai de trouver une charade digne de toi !

Les filles envoient la main à l'acteur. Mais avant que celui-ci n'ait complètement disparu de leur champ de vision, Lolita agrippe Rosalie par les épaules, le cerveau en ébullition. Ça y est ! Elle a trouvé !

Elle s’empresse d’annoncer
la bonne nouvelle à sa
meilleure amie :

— Rosalie ! Qu’est-ce que
tu dirais de te déguiser de
nouveau… et d’être ma doublure
dans mon prochain film ???

La suite de

Deux amies en plein tournage

(tome 3)